A) Solve for the variable.

1) $6 + y = 15$ _____   2) $y + 8 = 17$ _____   3) $y + 6 = 14$ _____   4) $7 + y = 16$ _____

5) $1 + y = 4$ _____   6) $y + 2 = 7$ _____   7) $7 + y = 13$ _____   8) $y + 4 = 7$ _____

9) $2 + y = 8$ _____   10) $3 + y = 6$ _____   11) $3 + y = 12$ _____   12) $y + 6 = 13$ _____

13) $3 + y = 9$ _____   14) $y + 4 = 10$ _____   15) $2 + y = 10$ _____   16) $6 + y = 10$ _____

17) $y + 4 = 9$ _____   18) $5 + y = 9$ _____   19) $7 + y = 9$ _____   20) $y + 5 = 8$ _____

21) $y + 5 = 7$ _____   22) $9 + y = 17$ _____   23) $y + 5 = 13$ _____   24) $y + 7 = 15$ _____

25) $y + 8 = 14$ _____   26) $y + 9 = 12$ _____   27) $8 + y = 11$ _____   28) $y + 1 = 2$ _____

29) $y + 9 = 13$ _____   30) $4 + y = 8$ _____   31) $3 + y = 5$ _____   32) $4 + y = 12$ _____

33) $3 + y = 4$ _____   34) $y + 7 = 10$ _____   35) $5 + y = 14$ _____   36) $8 + y = 16$ _____

37) $4 + y = 5$ _____   38) $9 + y = 18$ _____   39) $1 + y = 10$ _____   40) $y + 2 = 9$ _____

41) $1 + y = 8$ _____   42) $y + 3 = 11$ _____   43) $6 + y = 12$ _____   44) $y + 7 = 12$ _____

45) $y + 5 = 12$ _____   46) $y + 2 = 4$ _____   47) $1 + y = 9$ _____   48) $3 + y = 8$ _____

49) $y + 2 = 5$ _____   50) $y + 1 = 7$ _____

B) Solve for the variable.

1) $2 + y = 10$ _____   2) $5 + y = 12$ _____   3) $y + 9 = 11$ _____   4) $2 + y = 9$ _____

5) $y + 7 = 16$ _____   6) $6 + y = 12$ _____   7) $y + 1 = 2$ _____   8) $y + 2 = 7$ _____

9) $7 + y = 10$ _____   10) $3 + y = 4$ _____   11) $y + 4 = 9$ _____   12) $9 + y = 18$ _____

13) $2 + y = 3$ _____   14) $3 + y = 8$ _____   15) $y + 6 = 11$ _____   16) $9 + y = 13$ _____

17) $5 + y = 11$ _____   18) $1 + y = 7$ _____   19) $y + 5 = 8$ _____   20) $y + 3 = 9$ _____

21) $y + 7 = 12$ _____   22) $2 + y = 4$ _____   23) $2 + y = 5$ _____   24) $y + 8 = 10$ _____

25) $y + 8 = 16$ _____   26) $6 + y = 14$ _____   27) $y + 9 = 12$ _____   28) $1 + y = 5$ _____

29) $y + 8 = 13$ _____   30) $y + 9 = 17$ _____   31) $7 + y = 9$ _____   32) $y + 3 = 12$ _____

33) $4 + y = 11$ _____   34) $y + 7 = 15$ _____   35) $8 + y = 12$ _____   36) $3 + y = 5$ _____

37) $9 + y = 15$ _____   38) $y + 6 = 9$ _____   39) $y + 5 = 9$ _____   40) $y + 6 = 8$ _____

41) $y + 1 = 8$ _____   42) $1 + y = 3$ _____   43) $y + 7 = 11$ _____   44) $y + 3 = 10$ _____

45) $y + 5 = 7$ _____   46) $y + 2 = 11$ _____   47) $y + 8 = 9$ _____   48) $7 + y = 14$ _____

49) $y + 4 = 12$ _____   50) $y + 4 = 6$ _____

C) Solve for the variable.

1) $y + 5 = 7$ _____   2) $2 + y = 10$ _____   3) $8 + y = 9$ _____   4) $y + 4 = 9$ _____

5) $y + 3 = 11$ _____   6) $y + 2 = 7$ _____   7) $3 + y = 4$ _____   8) $y + 5 = 9$ _____

9) $y + 5 = 10$ _____   10) $y + 8 = 11$ _____   11) $y + 2 = 11$ _____   12) $y + 1 = 3$ _____

13) $6 + y = 14$ _____   14) $y + 4 = 10$ _____   15) $8 + y = 10$ _____   16) $y + 2 = 6$ _____

17) $4 + y = 5$ _____   18) $7 + y = 9$ _____   19) $7 + y = 13$ _____   20) $3 + y = 8$ _____

21) $y + 5 = 13$ _____   22) $y + 1 = 4$ _____   23) $2 + y = 3$ _____   24) $1 + y = 8$ _____

25) $2 + y = 4$ _____   26) $y + 6 = 11$ _____   27) $8 + y = 17$ _____   28) $5 + y = 6$ _____

29) $y + 7 = 14$ _____   30) $y + 8 = 14$ _____   31) $1 + y = 7$ _____   32) $7 + y = 16$ _____

33) $7 + y = 12$ _____   34) $y + 3 = 5$ _____   35) $6 + y = 13$ _____   36) $8 + y = 15$ _____

37) $y + 9 = 11$ _____   38) $5 + y = 8$ _____   39) $y + 9 = 10$ _____   40) $3 + y = 9$ _____

41) $9 + y = 12$ _____   42) $y + 9 = 15$ _____   43) $y + 5 = 12$ _____   44) $6 + y = 10$ _____

45) $9 + y = 18$ _____   46) $y + 6 = 8$ _____   47) $3 + y = 12$ _____   48) $5 + y = 14$ _____

49) $y + 2 = 8$ _____   50) $4 + y = 11$ _____

D) Solve for the variable.

1) $4 + y = 8$ _____

2) $1 + y = 6$ _____

3) $5 + y = 7$ _____

4) $y + 1 = 3$ _____

5) $9 + y = 12$ _____

6) $y + 1 = 5$ _____

7) $y + 8 = 13$ _____

8) $4 + y = 12$ _____

9) $y + 2 = 10$ _____

10) $4 + y = 6$ _____

11) $8 + y = 11$ _____

12) $7 + y = 9$ _____

13) $y + 4 = 7$ _____

14) $y + 3 = 7$ _____

15) $y + 2 = 7$ _____

16) $8 + y = 10$ _____

17) $8 + y = 14$ _____

18) $1 + y = 7$ _____

19) $7 + y = 15$ _____

20) $7 + y = 16$ _____

21) $8 + y = 15$ _____

22) $1 + y = 2$ _____

23) $y + 2 = 6$ _____

24) $y + 7 = 10$ _____

25) $5 + y = 9$ _____

26) $3 + y = 8$ _____

27) $y + 6 = 15$ _____

28) $2 + y = 5$ _____

29) $y + 9 = 16$ _____

30) $7 + y = 8$ _____

31) $y + 7 = 12$ _____

32) $8 + y = 12$ _____

33) $2 + y = 8$ _____

34) $y + 6 = 14$ _____

35) $y + 1 = 9$ _____

36) $y + 9 = 11$ _____

37) $y + 9 = 18$ _____

38) $y + 2 = 4$ _____

39) $y + 5 = 8$ _____

40) $1 + y = 10$ _____

41) $6 + y = 13$ _____

42) $2 + y = 3$ _____

43) $y + 5 = 10$ _____

44) $y + 7 = 11$ _____

45) $y + 1 = 4$ _____

46) $9 + y = 15$ _____

47) $y + 2 = 9$ _____

48) $4 + y = 13$ _____

49) $6 + y = 9$ _____

50) $4 + y = 5$ _____

E) Solve for the variable.

1) y + 3 = 6 _____   2) y + 5 = 6 _____   3) 9 + y = 13 _____   4) y + 1 = 5 _____

5) 4 + y = 13 _____   6) 2 + y = 9 _____   7) y + 2 = 11 _____   8) 6 + y = 11 _____

9) y + 9 = 11 _____   10) y + 7 = 14 _____   11) 4 + y = 12 _____   12) y + 6 = 14 _____

13) y + 8 = 10 _____   14) 7 + y = 12 _____   15) 9 + y = 14 _____   16) 7 + y = 10 _____

17) y + 4 = 10 _____   18) 7 + y = 9 _____   19) 6 + y = 7 _____   20) y + 6 = 9 _____

21) 6 + y = 10 _____   22) y + 8 = 15 _____   23) 3 + y = 7 _____   24) y + 8 = 12 _____

25) y + 7 = 8 _____   26) y + 2 = 3 _____   27) 5 + y = 14 _____   28) 1 + y = 9 _____

29) y + 7 = 13 _____   30) y + 1 = 10 _____   31) y + 9 = 10 _____   32) y + 3 = 9 _____

33) y + 6 = 8 _____   34) 2 + y = 10 _____   35) y + 2 = 8 _____   36) y + 6 = 15 _____

37) y + 8 = 13 _____   38) 3 + y = 12 _____   39) 5 + y = 8 _____   40) 2 + y = 6 _____

41) 9 + y = 17 _____   42) y + 5 = 10 _____   43) 5 + y = 9 _____   44) y + 3 = 11 _____

45) 7 + y = 15 _____   46) 1 + y = 6 _____   47) 6 + y = 13 _____   48) y + 2 = 4 _____

49) 9 + y = 18 _____   50) y + 2 = 5 _____

F) Solve for the variable.

1) y - 7 = 1 _____

2) y - 3 = 0 _____

3) y - 2 = 5 _____

4) 7 - y = 1 _____

5) 9 - y = 5 _____

6) y - 9 = 0 _____

7) y - 3 = 5 _____

8) 6 - y = 2 _____

9) y - 6 = 2 _____

10) y - 1 = 1 _____

11) 7 - y = 6 _____

12) 6 - y = 4 _____

13) 9 - y = 2 _____

14) y - 2 = 3 _____

15) 9 - y = 6 _____

16) 8 - y = 5 _____

17) 7 - y = 2 _____

18) 9 - y = 1 _____

19) y - 2 = 7 _____

20) 7 - y = 5 _____

21) y - 7 = 1 _____

22) y - 3 = 3 _____

23) 4 - y = 2 _____

24) y - 1 = 3 _____

25) 4 - y = 1 _____

26) 7 - y = 4 _____

27) y - 6 = 1 _____

28) y - 6 = 3 _____

29) y - 5 = 1 _____

30) 5 - y = 4 _____

31) y - 3 = 3 _____

32) y - 2 = 1 _____

33) y - 1 = 7 _____

34) y - 3 = 2 _____

35) 4 - y = 0 _____

36) 9 - y = 4 _____

37) y - 8 = 1 _____

38) y - 3 = 4 _____

39) 8 - y = 4 _____

40) 8 - y = 6 _____

41) 9 - y = 3 _____

42) 8 - y = 6 _____

43) 9 - y = 5 _____

44) 9 - y = 8 _____

45) 9 - y = 2 _____

46) 3 - y = 2 _____

47) y - 4 = 1 _____

48) 6 - y = 2 _____

49) 2 - y = 0 _____

50) y - 1 = 8 _____

G) Solve for the variable.

1) $9 - y = 7$ _____   2) $y - 1 = 3$ _____   3) $y - 5 = 4$ _____   4) $y - 7 = 1$ _____

5) $8 - y = 4$ _____   6) $8 - y = 3$ _____   7) $5 - y = 2$ _____   8) $y - 3 = 0$ _____

9) $y - 4 = 1$ _____   10) $6 - y = 2$ _____   11) $y - 4 = 0$ _____   12) $y - 2 = 3$ _____

13) $y - 5 = 4$ _____   14) $y - 5 = 2$ _____   15) $7 - y = 4$ _____   16) $9 - y = 8$ _____

17) $9 - y = 1$ _____   18) $y - 3 = 6$ _____   19) $5 - y = 0$ _____   20) $7 - y = 3$ _____

21) $y - 2 = 1$ _____   22) $7 - y = 1$ _____   23) $y - 6 = 3$ _____   24) $3 - y = 2$ _____

25) $8 - y = 6$ _____   26) $9 - y = 5$ _____   27) $8 - y = 0$ _____   28) $6 - y = 0$ _____

29) $y - 1 = 8$ _____   30) $y - 2 = 1$ _____   31) $8 - y = 2$ _____   32) $y - 4 = 5$ _____

33) $9 - y = 1$ _____   34) $y - 4 = 3$ _____   35) $6 - y = 4$ _____   36) $y - 5 = 1$ _____

37) $y - 2 = 6$ _____   38) $5 - y = 1$ _____   39) $y - 3 = 5$ _____   40) $9 - y = 6$ _____

41) $y - 1 = 6$ _____   42) $y - 1 = 5$ _____   43) $y - 2 = 2$ _____   44) $y - 1 = 4$ _____

45) $y - 7 = 2$ _____   46) $6 - y = 4$ _____   47) $y - 2 = 3$ _____   48) $y - 5 = 2$ _____

49) $y - 3 = 5$ _____   50) $y - 1 = 1$ _____

H) Solve for the variable.

1) 4 - y = 0 _____
2) 4 - y = 2 _____
3) y - 2 = 5 _____
4) 7 - y = 2 _____

5) 9 - y = 8 _____
6) y - 3 = 1 _____
7) y - 4 = 2 _____
8) y - 4 = 4 _____

9) y - 4 = 4 _____
10) y - 4 = 1 _____
11) y - 5 = 4 _____
12) y - 5 = 0 _____

13) y - 1 = 4 _____
14) y - 3 = 3 _____
15) y - 7 = 2 _____
16) 5 - y = 2 _____

17) 7 - y = 1 _____
18) y - 2 = 6 _____
19) y - 7 = 1 _____
20) y - 3 = 0 _____

21) 7 - y = 5 _____
22) 9 - y = 6 _____
23) y - 3 = 2 _____
24) 7 - y = 3 _____

25) 9 - y = 8 _____
26) y - 1 = 7 _____
27) y - 6 = 1 _____
28) y - 4 = 3 _____

29) y - 5 = 2 _____
30) y - 7 = 1 _____
31) y - 8 = 1 _____
32) y - 2 = 3 _____

33) y - 6 = 3 _____
34) y - 1 = 6 _____
35) y - 1 = 7 _____
36) y - 2 = 6 _____

37) y - 3 = 3 _____
38) 7 - y = 6 _____
39) y - 1 = 5 _____
40) 9 - y = 3 _____

41) y - 2 = 3 _____
42) 9 - y = 5 _____
43) 2 - y = 1 _____
44) y - 6 = 2 _____

45) y - 2 = 4 _____
46) 9 - y = 5 _____
47) y - 7 = 0 _____
48) 6 - y = 1 _____

49) 3 - y = 2 _____
50) y - 1 = 4 _____

I) Solve for the variable.

1) 6 - y = 1 _____   2) 6 - y = 0 _____   3) 7 - y = 1 _____   4) 7 - y = 3 _____

5) y - 2 = 4 _____   6) y - 9 = 0 _____   7) 9 - y = 7 _____   8) y - 7 = 1 _____

9) y - 4 = 3 _____   10) 8 - y = 6 _____   11) 9 - y = 1 _____   12) y - 2 = 3 _____

13) 8 - y = 2 _____   14) y - 2 = 6 _____   15) 8 - y = 4 _____   16) 9 - y = 8 _____

17) 9 - y = 4 _____   18) 9 - y = 2 _____   19) y - 1 = 1 _____   20) 7 - y = 0 _____

21) 3 - y = 1 _____   22) 5 - y = 2 _____   23) y - 3 = 5 _____   24) 9 - y = 6 _____

25) y - 1 = 2 _____   26) y - 5 = 1 _____   27) 9 - y = 4 _____   28) 9 - y = 3 _____

29) 9 - y = 6 _____   30) 9 - y = 5 _____   31) y - 5 = 2 _____   32) 6 - y = 5 _____

33) y - 5 = 3 _____   34) 9 - y = 3 _____   35) y - 4 = 0 _____   36) y - 7 = 2 _____

37) 7 - y = 1 _____   38) 4 - y = 3 _____   39) 8 - y = 2 _____   40) 7 - y = 4 _____

41) 4 - y = 2 _____   42) y - 3 = 5 _____   43) 5 - y = 4 _____   44) y - 5 = 0 _____

45) y - 3 = 1 _____   46) y - 3 = 2 _____   47) 6 - y = 3 _____   48) 8 - y = 1 _____

49) y - 1 = 7 _____   50) 3 - y = 2 _____

J) Solve for the variable.

1) y - 3 = 3 _____   2) y - 2 = 1 _____   3) 8 - y = 0 _____   4) 8 - y = 2 _____

5) 6 - y = 1 _____   6) y - 6 = 1 _____   7) 6 - y = 5 _____   8) y - 1 = 2 _____

9) 5 - y = 0 _____   10) y - 3 = 2 _____   11) y - 6 = 1 _____   12) 8 - y = 7 _____

13) 6 - y = 4 _____   14) y - 4 = 3 _____   15) 4 - y = 1 _____   16) 9 - y = 1 _____

17) 9 - y = 0 _____   18) 9 - y = 5 _____   19) y - 4 = 1 _____   20) y - 4 = 5 _____

21) y - 1 = 6 _____   22) y - 2 = 2 _____   23) y - 5 = 3 _____   24) y - 1 = 0 _____

25) y - 1 = 4 _____   26) 2 - y = 1 _____   27) 6 - y = 2 _____   28) 8 - y = 6 _____

29) y - 2 = 7 _____   30) 8 - y = 1 _____   31) y - 3 = 1 _____   32) y - 1 = 1 _____

33) 9 - y = 4 _____   34) 2 - y = 0 _____   35) y - 1 = 5 _____   36) 9 - y = 1 _____

37) 8 - y = 4 _____   38) y - 2 = 6 _____   39) y - 3 = 4 _____   40) 9 - y = 8 _____

41) 9 - y = 6 _____   42) y - 1 = 7 _____   43) y - 1 = 6 _____   44) 8 - y = 1 _____

45) 7 - y = 2 _____   46) 9 - y = 8 _____   47) y - 2 = 5 _____   48) 9 - y = 3 _____

49) 8 - y = 3 _____   50) y - 2 = 7 _____

K) Solve for the variable.

1) $1 \times y = 7$ _____ 　 2) $y \times 6 = 30$ _____ 　 3) $y \times 4 = 12$ _____ 　 4) $9 \times y = 36$ _____

5) $3 \times y = 18$ _____ 　 6) $y \times 6 = 36$ _____ 　 7) $8 \times y = 32$ _____ 　 8) $y \times 8 = 24$ _____

9) $8 \times y = 72$ _____ 　 10) $y \times 7 = 28$ _____ 　 11) $y \times 1 = 8$ _____ 　 12) $2 \times y = 12$ _____

13) $y \times 9 = 54$ _____ 　 14) $1 \times y = 4$ _____ 　 15) $2 \times y = 6$ _____ 　 16) $y \times 7 = 49$ _____

17) $y \times 1 = 1$ _____ 　 18) $4 \times y = 32$ _____ 　 19) $y \times 1 = 9$ _____ 　 20) $6 \times y = 24$ _____

21) $y \times 9 = 18$ _____ 　 22) $7 \times y = 63$ _____ 　 23) $3 \times y = 15$ _____ 　 24) $7 \times y = 35$ _____

25) $7 \times y = 14$ _____ 　 26) $y \times 5 = 15$ _____ 　 27) $4 \times y = 20$ _____ 　 28) $5 \times y = 10$ _____

29) $y \times 4 = 8$ _____ 　 30) $y \times 5 = 20$ _____ 　 31) $y \times 4 = 28$ _____ 　 32) $6 \times y = 6$ _____

33) $9 \times y = 63$ _____ 　 34) $y \times 5 = 45$ _____ 　 35) $y \times 7 = 42$ _____ 　 36) $6 \times y = 12$ _____

37) $9 \times y = 81$ _____ 　 38) $y \times 3 = 12$ _____ 　 39) $y \times 7 = 21$ _____ 　 40) $6 \times y = 48$ _____

41) $8 \times y = 56$ _____ 　 42) $6 \times y = 18$ _____ 　 43) $y \times 1 = 2$ _____ 　 44) $y \times 5 = 25$ _____

45) $y \times 2 = 16$ _____ 　 46) $y \times 4 = 36$ _____ 　 47) $y \times 3 = 21$ _____ 　 48) $y \times 2 = 10$ _____

49) $2 \times y = 2$ _____ 　 50) $1 \times y = 6$ _____

L) Solve for the variable.

1) $y \times 4 = 8$ _____   2) $4 \times y = 4$ _____   3) $y \times 5 = 40$ _____   4) $1 \times y = 4$ _____

5) $y \times 8 = 16$ _____   6) $y \times 4 = 20$ _____   7) $y \times 2 = 18$ _____   8) $y \times 1 = 7$ _____

9) $7 \times y = 35$ _____   10) $y \times 2 = 6$ _____   11) $y \times 2 = 12$ _____   12) $2 \times y = 14$ _____

13) $2 \times y = 16$ _____   14) $y \times 6 = 30$ _____   15) $y \times 6 = 6$ _____   16) $9 \times y = 18$ _____

17) $y \times 4 = 12$ _____   18) $y \times 2 = 10$ _____   19) $7 \times y = 42$ _____   20) $9 \times y = 45$ _____

21) $3 \times y = 15$ _____   22) $y \times 1 = 2$ _____   23) $5 \times y = 35$ _____   24) $2 \times y = 8$ _____

25) $5 \times y = 45$ _____   26) $y \times 5 = 20$ _____   27) $y \times 9 = 36$ _____   28) $3 \times y = 12$ _____

29) $4 \times y = 16$ _____   30) $y \times 1 = 3$ _____   31) $y \times 3 = 18$ _____   32) $y \times 8 = 40$ _____

33) $y \times 4 = 36$ _____   34) $3 \times y = 21$ _____   35) $y \times 9 = 72$ _____   36) $8 \times y = 64$ _____

37) $y \times 9 = 27$ _____   38) $6 \times y = 36$ _____   39) $6 \times y = 54$ _____   40) $7 \times y = 56$ _____

41) $y \times 8 = 32$ _____   42) $y \times 7 = 21$ _____   43) $y \times 8 = 72$ _____   44) $4 \times y = 28$ _____

45) $y \times 5 = 30$ _____   46) $1 \times y = 5$ _____   47) $y \times 3 = 24$ _____   48) $5 \times y = 5$ _____

49) $8 \times y = 8$ _____   50) $y \times 8 = 56$ _____

M) Solve for the variable.

1) $y \times 2 = 18$ _____

2) $y \times 6 = 54$ _____

3) $9 \times y = 45$ _____

4) $6 \times y = 12$ _____

5) $y \times 3 = 18$ _____

6) $5 \times y = 45$ _____

7) $y \times 6 = 24$ _____

8) $2 \times y = 4$ _____

9) $y \times 3 = 15$ _____

10) $2 \times y = 16$ _____

11) $8 \times y = 24$ _____

12) $5 \times y = 25$ _____

13) $7 \times y = 49$ _____

14) $y \times 3 = 9$ _____

15) $y \times 5 = 35$ _____

16) $y \times 9 = 36$ _____

17) $y \times 1 = 4$ _____

18) $y \times 9 = 54$ _____

19) $y \times 3 = 21$ _____

20) $y \times 3 = 3$ _____

21) $6 \times y = 36$ _____

22) $y \times 4 = 36$ _____

23) $y \times 7 = 7$ _____

24) $3 \times y = 12$ _____

25) $2 \times y = 2$ _____

26) $y \times 1 = 1$ _____

27) $7 \times y = 56$ _____

28) $5 \times y = 15$ _____

29) $y \times 8 = 16$ _____

30) $9 \times y = 63$ _____

31) $y \times 1 = 7$ _____

32) $y \times 4 = 20$ _____

33) $8 \times y = 40$ _____

34) $y \times 4 = 8$ _____

35) $y \times 9 = 72$ _____

36) $1 \times y = 2$ _____

37) $y \times 8 = 32$ _____

38) $1 \times y = 6$ _____

39) $y \times 5 = 40$ _____

40) $2 \times y = 8$ _____

41) $1 \times y = 3$ _____

42) $y \times 8 = 64$ _____

43) $4 \times y = 28$ _____

44) $y \times 6 = 30$ _____

45) $y \times 3 = 6$ _____

46) $y \times 1 = 9$ _____

47) $3 \times y = 27$ _____

48) $y \times 1 = 5$ _____

49) $5 \times y = 5$ _____

50) $y \times 4 = 12$ _____

N) Solve for the variable.

1) $1 \times y = 3$ _____
2) $8 \times y = 40$ _____
3) $1 \times y = 5$ _____
4) $6 \times y = 24$ _____

5) $9 \times y = 72$ _____
6) $y \times 4 = 24$ _____
7) $y \times 7 = 63$ _____
8) $y \times 5 = 25$ _____

9) $2 \times y = 6$ _____
10) $7 \times y = 49$ _____
11) $5 \times y = 15$ _____
12) $9 \times y = 9$ _____

13) $7 \times y = 42$ _____
14) $y \times 7 = 28$ _____
15) $y \times 2 = 4$ _____
16) $y \times 3 = 27$ _____

17) $y \times 1 = 8$ _____
18) $y \times 6 = 42$ _____
19) $y \times 6 = 18$ _____
20) $y \times 2 = 12$ _____

21) $2 \times y = 18$ _____
22) $5 \times y = 40$ _____
23) $5 \times y = 20$ _____
24) $y \times 5 = 10$ _____

25) $9 \times y = 54$ _____
26) $8 \times y = 72$ _____
27) $y \times 6 = 48$ _____
28) $9 \times y = 45$ _____

29) $y \times 6 = 6$ _____
30) $y \times 7 = 21$ _____
31) $3 \times y = 15$ _____
32) $9 \times y = 27$ _____

33) $6 \times y = 36$ _____
34) $y \times 1 = 6$ _____
35) $y \times 1 = 9$ _____
36) $6 \times y = 54$ _____

37) $y \times 1 = 1$ _____
38) $y \times 2 = 16$ _____
39) $3 \times y = 18$ _____
40) $y \times 3 = 6$ _____

41) $5 \times y = 30$ _____
42) $y \times 8 = 32$ _____
43) $9 \times y = 63$ _____
44) $y \times 3 = 24$ _____

45) $1 \times y = 4$ _____
46) $y \times 4 = 4$ _____
47) $4 \times y = 28$ _____
48) $4 \times y = 36$ _____

49) $2 \times y = 14$ _____
50) $8 \times y = 48$ _____

O) Solve for the variable.

1) $y \times 2 = 8$ _____

2) $y \times 4 = 20$ _____

3) $5 \times y = 20$ _____

4) $y \times 9 = 27$ _____

5) $y \times 5 = 30$ _____

6) $4 \times y = 24$ _____

7) $7 \times y = 42$ _____

8) $4 \times y = 36$ _____

9) $5 \times y = 10$ _____

10) $y \times 8 = 24$ _____

11) $2 \times y = 18$ _____

12) $y \times 1 = 9$ _____

13) $4 \times y = 8$ _____

14) $4 \times y = 4$ _____

15) $y \times 5 = 15$ _____

16) $9 \times y = 45$ _____

17) $6 \times y = 6$ _____

18) $y \times 4 = 12$ _____

19) $2 \times y = 16$ _____

20) $7 \times y = 28$ _____

21) $y \times 4 = 16$ _____

22) $y \times 6 = 42$ _____

23) $8 \times y = 32$ _____

24) $y \times 8 = 40$ _____

25) $2 \times y = 14$ _____

26) $8 \times y = 16$ _____

27) $3 \times y = 24$ _____

28) $y \times 2 = 4$ _____

29) $5 \times y = 45$ _____

30) $3 \times y = 9$ _____

31) $2 \times y = 12$ _____

32) $9 \times y = 36$ _____

33) $y \times 5 = 25$ _____

34) $1 \times y = 4$ _____

35) $y \times 3 = 27$ _____

36) $7 \times y = 21$ _____

37) $y \times 3 = 21$ _____

38) $7 \times y = 56$ _____

39) $y \times 7 = 49$ _____

40) $y \times 8 = 56$ _____

41) $1 \times y = 6$ _____

42) $8 \times y = 48$ _____

43) $y \times 5 = 40$ _____

44) $9 \times y = 54$ _____

45) $y \times 3 = 6$ _____

46) $8 \times y = 72$ _____

47) $y \times 9 = 72$ _____

48) $y \times 3 = 15$ _____

49) $y \times 1 = 7$ _____

50) $5 \times y = 5$ _____

P) Solve for the variable.

1) $6 \div y = 2$ _____
2) $y \div 6 = 1$ _____
3) $y \div 1 = 6$ _____
4) $48 \div y = 6$ _____

5) $21 \div y = 7$ _____
6) $y \div 5 = 3$ _____
7) $y \div 6 = 3$ _____
8) $y \div 1 = 8$ _____

9) $y \div 4 = 2$ _____
10) $y \div 7 = 5$ _____
11) $24 \div y = 6$ _____
12) $y \div 7 = 6$ _____

13) $y \div 7 = 9$ _____
14) $16 \div y = 8$ _____
15) $y \div 3 = 1$ _____
16) $y \div 8 = 4$ _____

17) $y \div 7 = 4$ _____
18) $32 \div y = 4$ _____
19) $7 \div y = 1$ _____
20) $45 \div y = 9$ _____

21) $y \div 9 = 3$ _____
22) $40 \div y = 8$ _____
23) $8 \div y = 2$ _____
24) $y \div 1 = 2$ _____

25) $12 \div y = 6$ _____
26) $y \div 9 = 2$ _____
27) $y \div 4 = 3$ _____
28) $21 \div y = 3$ _____

29) $4 \div y = 4$ _____
30) $54 \div y = 9$ _____
31) $30 \div y = 5$ _____
32) $y \div 2 = 7$ _____

33) $y \div 2 = 9$ _____
34) $24 \div y = 8$ _____
35) $7 \div y = 7$ _____
36) $y \div 6 = 6$ _____

37) $y \div 5 = 5$ _____
38) $y \div 2 = 8$ _____
39) $y \div 7 = 2$ _____
40) $5 \div y = 5$ _____

41) $30 \div y = 6$ _____
42) $y \div 9 = 9$ _____
43) $72 \div y = 8$ _____
44) $24 \div y = 4$ _____

45) $y \div 9 = 7$ _____
46) $8 \div y = 8$ _____
47) $y \div 6 = 7$ _____
48) $18 \div y = 3$ _____

49) $20 \div y = 4$ _____
50) $3 \div y = 1$ _____

Q) Solve for the variable.

1) $y \div 1 = 3$ _____   2) $y \div 4 = 4$ _____   3) $y \div 3 = 8$ _____   4) $49 \div y = 7$ _____

5) $54 \div y = 6$ _____   6) $y \div 3 = 5$ _____   7) $40 \div y = 8$ _____   8) $y \div 3 = 3$ _____

9) $y \div 2 = 2$ _____   10) $35 \div y = 7$ _____   11) $y \div 2 = 4$ _____   12) $30 \div y = 5$ _____

13) $1 \div y = 1$ _____   14) $y \div 3 = 2$ _____   15) $21 \div y = 7$ _____   16) $y \div 2 = 3$ _____

17) $y \div 2 = 5$ _____   18) $y \div 2 = 7$ _____   19) $y \div 9 = 2$ _____   20) $y \div 1 = 2$ _____

21) $y \div 4 = 2$ _____   22) $y \div 9 = 7$ _____   23) $y \div 8 = 1$ _____   24) $y \div 7 = 2$ _____

25) $2 \div y = 2$ _____   26) $y \div 5 = 4$ _____   27) $24 \div y = 8$ _____   28) $y \div 5 = 9$ _____

29) $25 \div y = 5$ _____   30) $y \div 8 = 6$ _____   31) $y \div 8 = 9$ _____   32) $y \div 2 = 9$ _____

33) $y \div 6 = 6$ _____   34) $y \div 5 = 8$ _____   35) $y \div 7 = 1$ _____   36) $35 \div y = 5$ _____

37) $y \div 9 = 9$ _____   38) $4 \div y = 1$ _____   39) $4 \div y = 4$ _____   40) $y \div 1 = 5$ _____

41) $y \div 3 = 9$ _____   42) $y \div 8 = 4$ _____   43) $y \div 6 = 8$ _____   44) $27 \div y = 9$ _____

45) $12 \div y = 3$ _____   46) $y \div 3 = 1$ _____   47) $12 \div y = 4$ _____   48) $y \div 8 = 2$ _____

49) $9 \div y = 9$ _____   50) $15 \div y = 5$ _____

R) Solve for the variable.

1) $20 \div y = 5$ _____   2) $18 \div y = 3$ _____   3) $54 \div y = 6$ _____   4) $21 \div y = 7$ _____

5) $y \div 8 = 6$ _____   6) $y \div 1 = 1$ _____   7) $36 \div y = 4$ _____   8) $y \div 5 = 3$ _____

9) $12 \div y = 6$ _____   10) $5 \div y = 1$ _____   11) $y \div 8 = 4$ _____   12) $y \div 9 = 3$ _____

13) $y \div 5 = 7$ _____   14) $y \div 2 = 4$ _____   15) $y \div 1 = 9$ _____   16) $4 \div y = 1$ _____

17) $16 \div y = 2$ _____   18) $20 \div y = 4$ _____   19) $y \div 6 = 1$ _____   20) $y \div 9 = 5$ _____

21) $y \div 5 = 1$ _____   22) $12 \div y = 3$ _____   23) $18 \div y = 2$ _____   24) $36 \div y = 9$ _____

25) $32 \div y = 4$ _____   26) $y \div 8 = 5$ _____   27) $24 \div y = 3$ _____   28) $y \div 5 = 6$ _____

29) $y \div 7 = 5$ _____   30) $14 \div y = 2$ _____   31) $y \div 8 = 8$ _____   32) $y \div 1 = 6$ _____

33) $y \div 9 = 8$ _____   34) $8 \div y = 1$ _____   35) $45 \div y = 5$ _____   36) $y \div 3 = 9$ _____

37) $7 \div y = 7$ _____   38) $36 \div y = 6$ _____   39) $49 \div y = 7$ _____   40) $y \div 3 = 7$ _____

41) $10 \div y = 2$ _____   42) $y \div 4 = 2$ _____   43) $12 \div y = 2$ _____   44) $6 \div y = 2$ _____

45) $y \div 2 = 2$ _____   46) $12 \div y = 4$ _____   47) $63 \div y = 9$ _____   48) $y \div 7 = 8$ _____

49) $y \div 4 = 4$ _____   50) $28 \div y = 4$ _____

S) Solve for the variable.

1) $y \div 3 = 2$ _____ 2) $9 \div y = 9$ _____ 3) $y \div 4 = 1$ _____ 4) $7 \div y = 7$ _____

5) $20 \div y = 5$ _____ 6) $14 \div y = 2$ _____ 7) $y \div 3 = 4$ _____ 8) $30 \div y = 6$ _____

9) $15 \div y = 5$ _____ 10) $y \div 6 = 8$ _____ 11) $y \div 4 = 3$ _____ 12) $18 \div y = 3$ _____

13) $21 \div y = 7$ _____ 14) $12 \div y = 2$ _____ 15) $y \div 8 = 7$ _____ 16) $y \div 9 = 4$ _____

17) $y \div 1 = 4$ _____ 18) $2 \div y = 1$ _____ 19) $18 \div y = 6$ _____ 20) $y \div 9 = 2$ _____

21) $y \div 4 = 4$ _____ 22) $y \div 8 = 3$ _____ 23) $6 \div y = 6$ _____ 24) $27 \div y = 9$ _____

25) $y \div 4 = 8$ _____ 26) $72 \div y = 9$ _____ 27) $12 \div y = 6$ _____ 28) $8 \div y = 4$ _____

29) $36 \div y = 6$ _____ 30) $63 \div y = 7$ _____ 31) $16 \div y = 8$ _____ 32) $48 \div y = 8$ _____

33) $y \div 7 = 7$ _____ 34) $54 \div y = 6$ _____ 35) $y \div 5 = 8$ _____ 36) $y \div 5 = 9$ _____

37) $28 \div y = 7$ _____ 38) $y \div 2 = 3$ _____ 39) $32 \div y = 8$ _____ 40) $9 \div y = 1$ _____

41) $y \div 2 = 2$ _____ 42) $1 \div y = 1$ _____ 43) $3 \div y = 1$ _____ 44) $y \div 2 = 9$ _____

45) $y \div 6 = 4$ _____ 46) $y \div 4 = 5$ _____ 47) $15 \div y = 3$ _____ 48) $6 \div y = 1$ _____

49) $y \div 5 = 7$ _____ 50) $10 \div y = 2$ _____

T) Solve for the variable.

1) $54 \div y = 6$ _____

2) $36 \div y = 6$ _____

3) $y \div 5 = 6$ _____

4) $y \div 5 = 4$ _____

5) $y \div 3 = 6$ _____

6) $y \div 2 = 8$ _____

7) $y \div 7 = 1$ _____

8) $12 \div y = 3$ _____

9) $y \div 4 = 1$ _____

10) $y \div 8 = 6$ _____

11) $y \div 2 = 9$ _____

12) $y \div 6 = 1$ _____

13) $y \div 4 = 6$ _____

14) $y \div 3 = 9$ _____

15) $42 \div y = 6$ _____

16) $y \div 6 = 2$ _____

17) $y \div 7 = 8$ _____

18) $1 \div y = 1$ _____

19) $40 \div y = 8$ _____

20) $4 \div y = 1$ _____

21) $y \div 2 = 5$ _____

22) $y \div 2 = 3$ _____

23) $y \div 7 = 5$ _____

24) $56 \div y = 8$ _____

25) $y \div 9 = 9$ _____

26) $y \div 1 = 8$ _____

27) $14 \div y = 2$ _____

28) $y \div 3 = 3$ _____

29) $y \div 7 = 3$ _____

30) $y \div 2 = 1$ _____

31) $y \div 1 = 2$ _____

32) $3 \div y = 1$ _____

33) $y \div 4 = 5$ _____

34) $18 \div y = 9$ _____

35) $49 \div y = 7$ _____

36) $9 \div y = 9$ _____

37) $y \div 6 = 3$ _____

38) $y \div 5 = 1$ _____

39) $y \div 6 = 5$ _____

40) $28 \div y = 7$ _____

41) $y \div 9 = 3$ _____

42) $y \div 4 = 2$ _____

43) $14 \div y = 7$ _____

44) $5 \div y = 1$ _____

45) $y \div 4 = 9$ _____

46) $7 \div y = 1$ _____

47) $6 \div y = 1$ _____

48) $y \div 6 = 4$ _____

49) $3 \div y = 3$ _____

50) $y \div 8 = 8$ _____

U) Solve for the variable.

1) $4 + 9y = 22$ _____

2) $2 + 3y = 11$ _____

3) $9 + 9y = 72$ _____

4) $8 + 1y = 15$ _____

5) $2y + 3 = 21$ _____

6) $6 + 4y = 26$ _____

7) $2y + 1 = 9$ _____

8) $9 + 6y = 21$ _____

9) $9y + 4 = 13$ _____

10) $2 + 5y = 42$ _____

11) $5y + 9 = 24$ _____

12) $5 + 8y = 37$ _____

13) $3y + 5 = 29$ _____

14) $4y + 1 = 13$ _____

15) $3y + 4 = 28$ _____

16) $2 + 8y = 58$ _____

17) $9y + 9 = 18$ _____

18) $3y + 1 = 22$ _____

19) $8 + 5y = 53$ _____

20) $6y + 1 = 31$ _____

21) $4 + 3y = 19$ _____

22) $1 + 2y = 17$ _____

23) $5 + 9y = 68$ _____

24) $8 + 8y = 48$ _____

25) $9y + 4 = 40$ _____

26) $9y + 7 = 52$ _____

27) $7y + 2 = 9$ _____

28) $3y + 3 = 6$ _____

29) $5 + 7y = 19$ _____

30) $6 + 4y = 18$ _____

31) $9 + 3y = 21$ _____

32) $6y + 3 = 15$ _____

33) $6 + 3y = 30$ _____

34) $3y + 2 = 20$ _____

35) $5y + 7 = 27$ _____

36) $1y + 8 = 12$ _____

37) $3 + 1y = 10$ _____

38) $9 + 2y = 21$ _____

39) $7 + 9y = 16$ _____

40) $1 + 3y = 4$ _____

41) $6y + 3 = 33$ _____

42) $9y + 2 = 38$ _____

43) $8y + 8 = 24$ _____

44) $9y + 7 = 88$ _____

45) $1y + 6 = 8$ _____

46) $5 + 7y = 40$ _____

47) $6y + 7 = 25$ _____

48) $4y + 4 = 32$ _____

49) $8y + 5 = 13$ _____

50) $9 + 2y = 27$ _____

V) Solve for the variable.

1) $9 + 4y = 25$ _____   2) $3 + 1y = 8$ _____   3) $8 + 3y = 14$ _____   4) $1 + 6y = 49$ _____

5) $6 + 6y = 48$ _____   6) $7y + 7 = 21$ _____   7) $7 + 3y = 19$ _____   8) $2 + 6y = 32$ _____

9) $7 + 1y = 15$ _____   10) $3 + 1y = 4$ _____   11) $3y + 3 = 24$ _____   12) $3y + 2 = 11$ _____

13) $9y + 4 = 22$ _____   14) $7 + 3y = 25$ _____   15) $9y + 3 = 75$ _____   16) $6y + 5 = 29$ _____

17) $7 + 6y = 13$ _____   18) $6y + 6 = 12$ _____   19) $1y + 8 = 16$ _____   20) $1 + 8y = 57$ _____

21) $1y + 5 = 14$ _____   22) $3y + 5 = 11$ _____   23) $1 + 9y = 10$ _____   24) $7y + 1 = 64$ _____

25) $8y + 4 = 44$ _____   26) $8 + 2y = 14$ _____   27) $5 + 8y = 29$ _____   28) $5y + 1 = 26$ _____

29) $8 + 2y = 16$ _____   30) $4y + 2 = 34$ _____   31) $4y + 2 = 38$ _____   32) $3 + 4y = 39$ _____

33) $7y + 5 = 47$ _____   34) $9y + 3 = 57$ _____   35) $8y + 8 = 56$ _____   36) $1y + 6 = 11$ _____

37) $6 + 3y = 15$ _____   38) $4y + 4 = 36$ _____   39) $8y + 9 = 49$ _____   40) $2y + 2 = 14$ _____

41) $6 + 3y = 18$ _____   42) $7 + 5y = 22$ _____   43) $3y + 1 = 7$ _____   44) $7 + 1y = 12$ _____

45) $9y + 2 = 11$ _____   46) $5y + 3 = 13$ _____   47) $2 + 8y = 58$ _____   48) $2y + 9 = 15$ _____

49) $5y + 6 = 46$ _____   50) $5y + 6 = 36$ _____

W) Solve for the variable.

1) $6y + 9 = 63$ _____   2) $7y + 5 = 40$ _____   3) $2y + 9 = 11$ _____   4) $2y + 6 = 22$ _____

5) $8y + 4 = 52$ _____   6) $8y + 6 = 78$ _____   7) $5 + 3y = 8$ _____   8) $9y + 7 = 61$ _____

9) $5 + 9y = 59$ _____   10) $5y + 1 = 11$ _____   11) $5y + 5 = 25$ _____   12) $6y + 2 = 32$ _____

13) $8y + 1 = 49$ _____   14) $2y + 3 = 19$ _____   15) $1y + 2 = 5$ _____   16) $9y + 9 = 63$ _____

17) $8y + 2 = 34$ _____   18) $4y + 4 = 36$ _____   19) $6 + 9y = 60$ _____   20) $8y + 8 = 64$ _____

21) $1 + 4y = 33$ _____   22) $4 + 1y = 5$ _____   23) $2 + 8y = 18$ _____   24) $7y + 8 = 36$ _____

25) $6y + 6 = 24$ _____   26) $3 + 8y = 11$ _____   27) $5y + 9 = 34$ _____   28) $5 + 9y = 86$ _____

29) $2 + 9y = 56$ _____   30) $3 + 1y = 5$ _____   31) $1 + 8y = 73$ _____   32) $3 + 8y = 35$ _____

33) $9y + 7 = 34$ _____   34) $1 + 9y = 28$ _____   35) $8y + 5 = 29$ _____   36) $9y + 5 = 68$ _____

37) $4 + 5y = 24$ _____   38) $3 + 6y = 57$ _____   39) $1 + 1y = 8$ _____   40) $6 + 6y = 30$ _____

41) $3y + 9 = 21$ _____   42) $2y + 8 = 20$ _____   43) $8y + 8 = 24$ _____   44) $4y + 8 = 12$ _____

45) $9 + 6y = 51$ _____   46) $8y + 5 = 69$ _____   47) $9y + 3 = 48$ _____   48) $5 + 3y = 11$ _____

49) $3y + 6 = 9$ _____   50) $2 + 3y = 26$ _____

X) Solve for the variable.

1) $9 + 7y = 51$ _____   2) $6 + 4y = 34$ _____   3) $3y + 3 = 27$ _____   4) $7 + 8y = 23$ _____

5) $6y + 4 = 40$ _____   6) $6y + 7 = 25$ _____   7) $6y + 3 = 57$ _____   8) $6y + 2 = 26$ _____

9) $1 + 7y = 43$ _____   10) $3 + 8y = 11$ _____   11) $8 + 4y = 44$ _____   12) $6y + 6 = 18$ _____

13) $1y + 2 = 3$ _____   14) $4 + 8y = 20$ _____   15) $7y + 9 = 44$ _____   16) $1 + 1y = 9$ _____

17) $8y + 5 = 61$ _____   18) $7 + 4y = 11$ _____   19) $5y + 4 = 24$ _____   20) $1y + 8 = 12$ _____

21) $6 + 3y = 21$ _____   22) $5y + 2 = 37$ _____   23) $5y + 8 = 38$ _____   24) $5 + 5y = 50$ _____

25) $4y + 9 = 37$ _____   26) $5 + 9y = 14$ _____   27) $8y + 6 = 38$ _____   28) $4 + 5y = 19$ _____

29) $9y + 6 = 87$ _____   30) $8 + 3y = 14$ _____   31) $4y + 9 = 21$ _____   32) $7y + 7 = 63$ _____

33) $2y + 3 = 11$ _____   34) $4y + 5 = 29$ _____   35) $1 + 1y = 4$ _____   36) $9 + 5y = 54$ _____

37) $8y + 1 = 57$ _____   38) $4y + 4 = 40$ _____   39) $8y + 4 = 12$ _____   40) $1y + 3 = 6$ _____

41) $7y + 8 = 15$ _____   42) $1y + 2 = 8$ _____   43) $1 + 6y = 31$ _____   44) $7 + 2y = 15$ _____

45) $6 + 1y = 12$ _____   46) $2 + 7y = 23$ _____   47) $4 + 3y = 19$ _____   48) $3 + 5y = 38$ _____

49) $2y + 7 = 17$ _____   50) $6 + 6y = 12$ _____

Y) Solve for the variable.

1) $3y + 4 = 13$ _____

2) $9 + 7y = 30$ _____

3) $2 + 3y = 17$ _____

4) $8y + 5 = 69$ _____

5) $3 + 7y = 10$ _____

6) $6 + 2y = 16$ _____

7) $1y + 9 = 18$ _____

8) $7y + 7 = 63$ _____

9) $4 + 1y = 6$ _____

10) $7 + 8y = 39$ _____

11) $5 + 2y = 15$ _____

12) $9y + 5 = 86$ _____

13) $7y + 1 = 43$ _____

14) $3y + 6 = 9$ _____

15) $1 + 2y = 17$ _____

16) $2 + 1y = 6$ _____

17) $7 + 3y = 34$ _____

18) $1y + 7 = 8$ _____

19) $4 + 9y = 13$ _____

20) $3y + 9 = 24$ _____

21) $2 + 7y = 51$ _____

22) $8 + 6y = 20$ _____

23) $2y + 3 = 19$ _____

24) $4y + 4 = 32$ _____

25) $7y + 6 = 48$ _____

26) $8y + 6 = 70$ _____

27) $6y + 2 = 14$ _____

28) $9 + 1y = 10$ _____

29) $1 + 3y = 28$ _____

30) $5y + 2 = 47$ _____

31) $5 + 6y = 17$ _____

32) $3 + 7y = 52$ _____

33) $7 + 6y = 25$ _____

34) $9y + 7 = 52$ _____

35) $5 + 4y = 21$ _____

36) $4 + 3y = 31$ _____

37) $8y + 7 = 63$ _____

38) $1y + 3 = 12$ _____

39) $1y + 8 = 15$ _____

40) $3y + 1 = 22$ _____

41) $3y + 5 = 23$ _____

42) $4 + 4y = 20$ _____

43) $6 + 2y = 10$ _____

44) $8y + 4 = 52$ _____

45) $5y + 8 = 53$ _____

46) $5 + 1y = 8$ _____

47) $2y + 8 = 18$ _____

48) $8 + 5y = 48$ _____

49) $8y + 9 = 25$ _____

50) $5y + 9 = 29$ _____

Z) Solve for the variable.

1) 8y - 2 = 62 _____ 2) 48 - 5y = 3 _____ 3) 9 - 1y = 7 _____ 4) 24 - 8y = 8 _____

5) 6y - 4 = 26 _____ 6) 2y - 9 = 3 _____ 7) 8y - 9 = 7 _____ 8) 7 - 6y = 1 _____

9) 4y - 9 = 11 _____ 10) 4y - 5 = 23 _____ 11) 4y - 5 = 19 _____ 12) 6 - 3y = 3 _____

13) 29 - 4y = 1 _____ 14) 12 - 3y = 0 _____ 15) 43 - 5y = 3 _____ 16) 4y - 7 = 21 _____

17) 32 - 9y = 5 _____ 18) 8y - 2 = 14 _____ 19) 17 - 3y = 2 _____ 20) 56 - 6y = 2 _____

21) 13 - 2y = 9 _____ 22) 13 - 1y = 9 _____ 23) 6y - 1 = 35 _____ 24) 44 - 5y = 9 _____

25) 1y - 4 = 5 _____ 26) 11 - 2y = 1 _____ 27) 16 - 2y = 4 _____ 28) 8 - 5y = 3 _____

29) 11 - 5y = 6 _____ 30) 25 - 2y = 9 _____ 31) 32 - 5y = 2 _____ 32) 33 - 9y = 6 _____

33) 6y - 9 = 45 _____ 34) 2y - 6 = 4 _____ 35) 61 - 7y = 5 _____ 36) 31 - 9y = 4 _____

37) 33 - 4y = 9 _____ 38) 24 - 2y = 8 _____ 39) 3y - 3 = 0 _____ 40) 8y - 5 = 3 _____

41) 4y - 5 = 11 _____ 42) 4y - 6 = 22 _____ 43) 26 - 7y = 5 _____ 44) 5y - 4 = 26 _____

45) 8y - 8 = 56 _____ 46) 12 - 8y = 4 _____ 47) 3y - 8 = 13 _____ 48) 17 - 4y = 1 _____

49) 5 - 1y = 3 _____ 50) 29 - 6y = 5 _____

AA) Solve for the variable.

1) $9y - 2 = 70$ _____   2) $3y - 2 = 7$ _____   3) $24 - 6y = 6$ _____   4) $52 - 8y = 4$ _____

5) $21 - 7y = 7$ _____   6) $72 - 9y = 9$ _____   7) $2y - 9 = 5$ _____   8) $83 - 9y = 2$ _____

9) $9y - 5 = 22$ _____   10) $3y - 3 = 12$ _____   11) $12 - 1y = 8$ _____   12) $5y - 1 = 24$ _____

13) $39 - 4y = 3$ _____   14) $7y - 7 = 35$ _____   15) $28 - 6y = 4$ _____   16) $2y - 3 = 9$ _____

17) $4y - 7 = 1$ _____   18) $19 - 5y = 4$ _____   19) $26 - 5y = 1$ _____   20) $4y - 5 = 31$ _____

21) $36 - 8y = 4$ _____   22) $2y - 9 = 7$ _____   23) $25 - 2y = 9$ _____   24) $3y - 1 = 17$ _____

25) $52 - 5y = 7$ _____   26) $3y - 4 = 23$ _____   27) $67 - 8y = 3$ _____   28) $7y - 7 = 56$ _____

29) $45 - 9y = 0$ _____   30) $4y - 5 = 23$ _____   31) $12 - 5y = 7$ _____   32) $12 - 3y = 6$ _____

33) $73 - 9y = 1$ _____   34) $29 - 7y = 1$ _____   35) $8y - 9 = 39$ _____   36) $5y - 3 = 2$ _____

37) $4y - 3 = 25$ _____   38) $16 - 8y = 8$ _____   39) $5y - 2 = 23$ _____   40) $21 - 5y = 6$ _____

41) $9y - 8 = 1$ _____   42) $13 - 4y = 5$ _____   43) $7y - 5 = 23$ _____   44) $4y - 5 = 3$ _____

45) $5y - 6 = 34$ _____   46) $6 - 1y = 3$ _____   47) $16 - 1y = 7$ _____   48) $7y - 8 = 6$ _____

49) $9y - 7 = 56$ _____   50) $4 - 2y = 2$ _____

BB) Solve for the variable.

1) 2y - 3 = 1 _____   2) 8 - 1y = 5 _____   3) 9 - 2y = 7 _____   4) 55 - 8y = 7 _____

5) 2y - 9 = 5 _____   6) 6y - 3 = 33 _____   7) 4 - 1y = 2 _____   8) 4y - 8 = 20 _____

9) 6y - 2 = 16 _____   10) 17 - 5y = 2 _____   11) 4y - 1 = 11 _____   12) 8y - 2 = 70 _____

13) 41 - 6y = 5 _____   14) 3y - 4 = 8 _____   15) 15 - 1y = 6 _____   16) 42 - 9y = 6 _____

17) 17 - 3y = 2 _____   18) 11 - 8y = 3 _____   19) 2y - 3 = 13 _____   20) 6y - 4 = 38 _____

21) 4y - 1 = 7 _____   22) 3y - 9 = 18 _____   23) 2y - 3 = 15 _____   24) 13 - 6y = 1 _____

25) 27 - 4y = 3 _____   26) 18 - 9y = 9 _____   27) 17 - 2y = 3 _____   28) 8 - 4y = 0 _____

29) 62 - 7y = 6 _____   30) 15 - 6y = 3 _____   31) 14 - 2y = 8 _____   32) 25 - 4y = 9 _____

33) 9 - 1y = 4 _____   34) 6y - 5 = 37 _____   35) 17 - 3y = 5 _____   36) 4y - 5 = 27 _____

37) 7y - 8 = 55 _____   38) 4y - 6 = 2 _____   39) 16 - 2y = 6 _____   40) 31 - 3y = 4 _____

41) 27 - 3y = 3 _____   42) 19 - 8y = 3 _____   43) 16 - 2y = 4 _____   44) 46 - 5y = 1 _____

45) 49 - 6y = 1 _____   46) 5y - 2 = 3 _____   47) 2y - 4 = 14 _____   48) 1y - 2 = 0 _____

49) 9y - 9 = 27 _____   50) 42 - 6y = 0 _____

CC) Solve for the variable.

1) 2y - 1 = 13 _____   2) 46 - 7y = 4 _____   3) 72 - 8y = 8 _____   4) 12 - 1y = 7 _____

5) 5y - 8 = 22 _____   6) 7y - 7 = 49 _____   7) 3y - 9 = 0 _____   8) 8y - 5 = 19 _____

9) 17 - 9y = 8 _____   10) 5y - 5 = 20 _____   11) 56 - 6y = 8 _____   12) 21 - 9y = 3 _____

13) 23 - 2y = 5 _____   14) 2y - 8 = 6 _____   15) 37 - 5y = 7 _____   16) 7y - 1 = 41 _____

17) 6 - 3y = 0 _____   18) 13 - 1y = 8 _____   19) 3y - 1 = 8 _____   20) 12 - 2y = 8 _____

21) 54 - 9y = 0 _____   22) 3y - 3 = 18 _____   23) 1y - 4 = 4 _____   24) 7y - 6 = 22 _____

25) 76 - 8y = 4 _____   26) 41 - 9y = 5 _____   27) 33 - 5y = 3 _____   28) 75 - 9y = 3 _____

29) 6y - 8 = 40 _____   30) 27 - 3y = 6 _____   31) 19 - 2y = 9 _____   32) 7y - 8 = 6 _____

33) 2y - 4 = 0 _____   34) 8y - 8 = 24 _____   35) 51 - 9y = 6 _____   36) 62 - 6y = 8 _____

37) 22 - 6y = 4 _____   38) 16 - 1y = 9 _____   39) 9 - 1y = 1 _____   40) 34 - 5y = 9 _____

41) 34 - 7y = 6 _____   42) 3y - 1 = 2 _____   43) 3y - 7 = 2 _____   44) 8y - 9 = 39 _____

45) 6y - 5 = 19 _____   46) 6 - 4y = 2 _____   47) 2y - 3 = 1 _____   48) 8y - 2 = 6 _____

49) 17 - 5y = 2 _____   50) 46 - 9y = 1 _____

DD) Solve for the variable.

1) 9y - 7 = 11 _____   2) 53 - 7y = 4 _____   3) 9y - 4 = 41 _____   4) 7 - 1y = 4 _____

5) 37 - 4y = 5 _____   6) 62 - 9y = 8 _____   7) 14 - 6y = 2 _____   8) 71 - 8y = 7 _____

9) 6y - 2 = 52 _____   10) 4y - 5 = 3 _____   11) 5y - 2 = 13 _____   12) 3y - 8 = 13 _____

13) 9y - 8 = 73 _____   14) 9y - 8 = 46 _____   15) 35 - 7y = 7 _____   16) 3y - 6 = 0 _____

17) 7y - 2 = 5 _____   18) 7y - 6 = 8 _____   19) 72 - 8y = 8 _____   20) 43 - 5y = 3 _____

21) 5y - 9 = 11 _____   22) 21 - 4y = 1 _____   23) 26 - 8y = 2 _____   24) 8y - 7 = 65 _____

25) 9 - 5y = 4 _____   26) 63 - 6y = 9 _____   27) 7y - 9 = 40 _____   28) 75 - 8y = 3 _____

29) 25 - 2y = 9 _____   30) 54 - 5y = 9 _____   31) 11 - 7y = 4 _____   32) 64 - 8y = 8 _____

33) 1y - 8 = 0 _____   34) 3y - 9 = 15 _____   35) 5y - 3 = 22 _____   36) 5y - 4 = 36 _____

37) 9y - 1 = 62 _____   38) 17 - 2y = 3 _____   39) 35 - 6y = 5 _____   40) 7 - 1y = 6 _____

41) 2y - 2 = 12 _____   42) 3y - 6 = 21 _____   43) 32 - 8y = 0 _____   44) 5y - 8 = 12 _____

45) 13 - 5y = 8 _____   46) 19 - 5y = 4 _____   47) 3y - 2 = 4 _____   48) 3y - 7 = 11 _____

49) 6y - 1 = 17 _____   50) 7y - 4 = 24 _____

EE) Solve for the variable.

1) 4 + 2y = 8 _____   2) y - 4 = 1 _____   3) 32 - 3y = 8 _____   4) y × 3 = 18 _____

5) 3y - 9 = 3 _____   6) 6y - 8 = 22 _____   7) 4 ÷ y = 2 _____   8) 1y + 2 = 5 _____

9) 6y - 5 = 25 _____   10) 9 + 7y = 58 _____   11) y - 1 = 7 _____   12) 3 × y = 6 _____

13) 7y - 3 = 46 _____   14) 8 - y = 2 _____   15) y ÷ 1 = 6 _____   16) y - 5 = 2 _____

17) 7y - 1 = 13 _____   18) 1 + 8y = 57 _____   19) 8 + y = 15 _____   20) y + 2 = 3 _____

21) y - 1 = 2 _____   22) 38 - 4y = 6 _____   23) y + 6 = 7 _____   24) 1 × y = 8 _____

25) 4 + y = 10 _____   26) y - 5 = 1 _____   27) 9 × y = 27 _____   28) 42 ÷ y = 7 _____

29) 5 - y = 4 _____   30) 9 - y = 3 _____   31) y - 2 = 4 _____   32) 23 - 5y = 8 _____

33) 5y - 7 = 28 _____   34) 5 + 4y = 13 _____   35) y + 2 = 6 _____   36) y + 4 = 12 _____

37) y ÷ 1 = 9 _____   38) 4 × y = 28 _____   39) y - 3 = 3 _____   40) y ÷ 7 = 8 _____

41) 3 - y = 2 _____   42) 7 + 4y = 19 _____   43) y - 1 = 3 _____   44) y ÷ 5 = 1 _____

45) y + 4 = 13 _____   46) y × 5 = 20 _____   47) 2 × y = 18 _____   48) y ÷ 6 = 5 _____

49) y - 2 = 4 _____   50) y - 6 = 2 _____

FF) Solve for the variable.

1) $2 + 9y = 47$ _____

2) $43 - 7y = 8$ _____

3) $8y - 9 = 55$ _____

4) $19 - 2y = 5$ _____

5) $9 \times y = 81$ _____

6) $7y + 5 = 26$ _____

7) $3 + y = 5$ _____

8) $y \div 4 = 2$ _____

9) $56 \div y = 8$ _____

10) $y \times 7 = 49$ _____

11) $4 + 6y = 52$ _____

12) $6 + y = 9$ _____

13) $8 + y = 9$ _____

14) $4y - 7 = 9$ _____

15) $y - 1 = 8$ _____

16) $y \div 9 = 4$ _____

17) $3y - 6 = 18$ _____

18) $y + 9 = 14$ _____

19) $y \times 5 = 45$ _____

20) $8 + y = 14$ _____

21) $y + 1 = 10$ _____

22) $y \times 3 = 12$ _____

23) $8 - y = 4$ _____

24) $18 \div y = 9$ _____

25) $9y - 8 = 19$ _____

26) $6 \times y = 54$ _____

27) $y \times 2 = 8$ _____

28) $6 - y = 2$ _____

29) $y \times 7 = 21$ _____

30) $y \times 3 = 21$ _____

31) $y \times 8 = 64$ _____

32) $1 \times y = 3$ _____

33) $5 \times y = 30$ _____

34) $y \div 9 = 3$ _____

35) $24 \div y = 3$ _____

36) $8y + 7 = 71$ _____

37) $3 + y = 9$ _____

38) $9 - y = 1$ _____

39) $y + 1 = 9$ _____

40) $y \times 5 = 35$ _____

41) $8 + 5y = 33$ _____

42) $y \div 4 = 7$ _____

43) $y \div 4 = 6$ _____

44) $1y - 7 = 2$ _____

45) $y \div 4 = 1$ _____

46) $1 \times y = 5$ _____

47) $4 \div y = 2$ _____

48) $y - 2 = 3$ _____

49) $7 + 2y = 11$ _____

50) $y - 6 = 1$ _____

GG) Solve for the variable.

1) $2 \div y = 1$ _____

2) $y - 4 = 3$ _____

3) $7 \times y = 21$ _____

4) $y + 1 = 10$ _____

5) $6 - y = 2$ _____

6) $7 \times y = 7$ _____

7) $5y - 3 = 17$ _____

8) $y + 8 = 11$ _____

9) $y \times 8 = 32$ _____

10) $3 - y = 1$ _____

11) $8 + 8y = 72$ _____

12) $y \times 4 = 20$ _____

13) $9 - y = 4$ _____

14) $6y - 8 = 4$ _____

15) $4 + y = 5$ _____

16) $y \times 9 = 36$ _____

17) $y \times 8 = 72$ _____

18) $6y - 4 = 20$ _____

19) $y + 6 = 7$ _____

20) $4y - 3 = 9$ _____

21) $2y - 2 = 10$ _____

22) $6 \div y = 1$ _____

23) $6y - 7 = 29$ _____

24) $30 \div y = 5$ _____

25) $y \times 2 = 8$ _____

26) $y \times 3 = 15$ _____

27) $2y + 8 = 12$ _____

28) $54 - 7y = 5$ _____

29) $6 + y = 14$ _____

30) $5 - y = 3$ _____

31) $9 - y = 2$ _____

32) $4y - 9 = 15$ _____

33) $9 - y = 5$ _____

34) $8 + y = 13$ _____

35) $3y + 4 = 13$ _____

36) $4 - y = 3$ _____

37) $5 \times y = 15$ _____

38) $16 \div y = 2$ _____

39) $18 \div y = 2$ _____

40) $y + 9 = 16$ _____

41) $y \times 7 = 56$ _____

42) $6y + 6 = 60$ _____

43) $y - 5 = 0$ _____

44) $y \div 3 = 8$ _____

45) $9 + y = 18$ _____

46) $9 \div y = 9$ _____

47) $7y - 7 = 28$ _____

48) $y \div 3 = 9$ _____

49) $9y + 1 = 10$ _____

50) $3y - 8 = 13$ _____

HH) Solve for the variable.

1) 6 - y = 5 _____   2) 34 - 5y = 4 _____   3) 2 + 1y = 7 _____   4) 18 ÷ y = 9 _____

5) 2 - y = 1 _____   6) y + 8 = 13 _____   7) 7y - 3 = 18 _____   8) y × 9 = 81 _____

9) y - 3 = 1 _____   10) 4 - 4y = 0 _____   11) 8y - 8 = 64 _____   12) 1y + 8 = 15 ____

13) 35 ÷ y = 5 _____   14) 1 + 7y = 22 _____   15) y ÷ 5 = 9 _____   16) y + 9 = 10 _____

17) y ÷ 7 = 2 _____   18) 42 - 6y = 0 _____   19) 6 + y = 9 _____   20) y - 6 = 3 _____

21) 9y + 3 = 39 ____   22) 6 ÷ y = 2 _____   23) 6 + y = 14 _____   24) y × 6 = 24 _____

25) 53 - 8y = 5 _____   26) 3y - 9 = 3 _____   27) 8y - 1 = 47 _____   28) 6y - 9 = 39 _____

29) 8y + 1 = 73 ____   30) 1 + 1y = 6 _____   31) 3 × y = 21 _____   32) y ÷ 5 = 2 _____

33) 36 ÷ y = 6 _____   34) y ÷ 3 = 9 _____   35) 54 - 5y = 9 _____   36) y - 4 = 0 _____

37) 15 ÷ y = 5 _____   38) y - 8 = 0 _____   39) 1 × y = 7 _____   40) 6y + 8 = 32 ____

41) 2 ÷ y = 1 _____   42) 7 + 5y = 42 ____   43) y - 3 = 6 _____   44) 16 ÷ y = 8 _____

45) 7 + 8y = 47 ____   46) 5 + y = 6 _____   47) y ÷ 2 = 2 _____   48) 27 - 3y = 9 _____

49) 7 + y = 8 _____   50) y + 7 = 11 _____

II) Solve for the variable.

1) $y \times 1 = 8$ _____

2) $4y + 5 = 29$ _____

3) $5y + 7 = 52$ _____

4) $24 - 7y = 3$ _____

5) $1 + 9y = 37$ _____

6) $2y - 7 = 1$ _____

7) $y + 6 = 14$ _____

8) $8 \div y = 8$ _____

9) $35 \div y = 5$ _____

10) $15 - 5y = 0$ _____

11) $49 - 6y = 7$ _____

12) $45 \div y = 9$ _____

13) $4 \times y = 8$ _____

14) $9y - 8 = 73$ _____

15) $9 + 7y = 23$ _____

16) $2y + 5 = 9$ _____

17) $9 - 8y = 1$ _____

18) $7 + y = 15$ _____

19) $2 + y = 5$ _____

20) $3y + 7 = 16$ _____

21) $71 - 9y = 8$ _____

22) $4 + 8y = 68$ _____

23) $6y - 3 = 3$ _____

24) $1 \times y = 6$ _____

25) $9y + 3 = 21$ _____

26) $2 + y = 3$ _____

27) $y + 7 = 12$ _____

28) $1 + y = 4$ _____

29) $4y - 5 = 15$ _____

30) $3 + 8y = 27$ _____

31) $6 - y = 3$ _____

32) $2y - 6 = 12$ _____

33) $3y + 8 = 17$ _____

34) $5 + y = 14$ _____

35) $y \times 5 = 5$ _____

36) $1 + y = 10$ _____

37) $54 - 7y = 5$ _____

38) $21 \div y = 3$ _____

39) $y \div 3 = 4$ _____

40) $42 \div y = 7$ _____

41) $y + 6 = 13$ _____

42) $y + 5 = 13$ _____

43) $9y - 2 = 43$ _____

44) $y \div 1 = 5$ _____

45) $2y - 8 = 2$ _____

46) $4 + 7y = 39$ _____

47) $9 \times y = 27$ _____

48) $y \div 9 = 8$ _____

49) $2 \times y = 12$ _____

50) $2 + 7y = 51$ _____

JJ) Solve for the variable.

1) $y \div 3 = 5$ _____

2) $15 = 8 + y$ _____

3) $y - 3 = 4$ _____

4) $3 = 7 - y$ _____

5) $9 = 3 \times y$ _____

6) $7y - 4 = 24$ _____

7) $9 + 1y = 14$ _____

8) $16 = 7 + y$ _____

9) $1 = 3 - y$ _____

10) $7 + y = 14$ _____

11) $2 + y = 7$ _____

12) $y - 1 = 8$ _____

13) $1y + 5 = 6$ _____

14) $y + 2 = 4$ _____

15) $13 = y + 8$ _____

16) $7 - y = 2$ _____

17) $y \times 4 = 4$ _____

18) $8 + y = 10$ _____

19) $2 = y \times 2$ _____

20) $y - 4 = 2$ _____

21) $y - 1 = 2$ _____

22) $5 = y - 1$ _____

23) $1 = 41 - 8y$ _____

24) $y \times 6 = 48$ _____

25) $17 = 9 + y$ _____

26) $18 = y \times 3$ _____

27) $9 - y = 3$ _____

28) $6 \times y = 12$ _____

29) $8 + 1y = 11$ _____

30) $y - 3 = 1$ _____

31) $6 = 24 - 9y$ _____

32) $3y + 5 = 29$ _____

33) $56 - 8y = 8$ _____

34) $2y + 2 = 10$ _____

35) $7 = y + 4$ _____

36) $y - 4 = 5$ _____

37) $11 = y + 5$ _____

38) $y - 4 = 5$ _____

39) $63 = 9 \times y$ _____

40) $y \div 8 = 6$ _____

41) $9 = 4 + 1y$ _____

42) $2y + 7 = 19$ _____

43) $9 = y + 6$ _____

44) $8 + y = 17$ _____

45) $4 = 34 - 5y$ _____

46) $y - 5 = 0$ _____

47) $4 = y - 5$ _____

48) $4y - 1 = 3$ _____

49) $24 = 2y + 8$ _____

50) $8 - y = 7$ _____

KK) Solve for the variable.

1) $2 = 1 + y$ _____

2) $5 = 3y - 4$ _____

3) $1 = 9 - y$ _____

4) $4 = y \div 3$ _____

5) $51 = 9 + 6y$ _____

6) $48 = 8 \times y$ _____

7) $2 = y - 5$ _____

8) $8 \times y = 64$ _____

9) $6 - y = 2$ _____

10) $16 \div y = 4$ _____

11) $2 = y - 7$ _____

12) $9 = y + 4$ _____

13) $y \times 7 = 14$ _____

14) $0 = 32 - 4y$ _____

15) $18 = 9 \times y$ _____

16) $1 + 1y = 6$ _____

17) $1 = 25 - 8y$ _____

18) $18 - 8y = 2$ _____

19) $76 = 4 + 9y$ _____

20) $y \div 3 = 9$ _____

21) $6 = 5 + y$ _____

22) $9 - y = 4$ _____

23) $13 = y + 8$ _____

24) $5 - y = 1$ _____

25) $0 = 9 - y$ _____

26) $2 + y = 5$ _____

27) $2 \times y = 14$ _____

28) $11 = 8 + y$ _____

29) $0 = 3y - 9$ _____

30) $38 - 4y = 2$ _____

31) $12 = 5 + y$ _____

32) $7 - y = 4$ _____

33) $1y + 1 = 5$ _____

34) $6 + y = 11$ _____

35) $19 = 7 + 2y$ _____

36) $9 - y = 7$ _____

37) $y \times 2 = 2$ _____

38) $2 = 3 - y$ _____

39) $49 - 8y = 1$ _____

40) $6 = 3 + y$ _____

41) $4y + 4 = 8$ _____

42) $y \times 7 = 56$ _____

43) $25 = 5 \times y$ _____

44) $6 - y = 1$ _____

45) $5y - 7 = 28$ _____

46) $y - 4 = 3$ _____

47) $3 = y - 4$ _____

48) $7 = 56 - 7y$ _____

49) $4 = 2 + y$ _____

50) $23 = 4y - 1$ _____

LL) Solve for the variable.

1) $7 = 47 - 8y$ _____

2) $31 = 4 + 3y$ _____

3) $1 = y \div 9$ _____

4) $46 = 5y + 1$ _____

5) $2 + 7y = 30$ _____

6) $y + 1 = 3$ _____

7) $y \times 7 = 14$ _____

8) $8 - y = 1$ _____

9) $30 \div y = 5$ _____

10) $4 = 28 - 4y$ _____

11) $8 = 32 \div y$ _____

12) $44 = 5y + 4$ _____

13) $1y + 2 = 10$ _____

14) $13 = 4y - 3$ _____

15) $10 = y + 5$ _____

16) $7 = y \div 4$ _____

17) $3 + 9y = 75$ _____

18) $7y + 9 = 37$ _____

19) $13 = y + 7$ _____

20) $1 = y - 4$ _____

21) $10 = y + 8$ _____

22) $5 = 4 + y$ _____

23) $2 = 9 - y$ _____

24) $72 = 9 \times y$ _____

25) $2 = 1y - 1$ _____

26) $3 + y = 5$ _____

27) $6 - 1y = 1$ _____

28) $4 = y - 1$ _____

29) $7 + y = 8$ _____

30) $3 = y + 2$ _____

31) $4 + y = 8$ _____

32) $22 = 3y - 5$ _____

33) $9 \div y = 3$ _____

34) $26 = 6 + 5y$ _____

35) $11 = y + 9$ _____

36) $8 = 53 - 9y$ _____

37) $9 = 5 + 2y$ _____

38) $1 = y \div 8$ _____

39) $5 = y + 1$ _____

40) $6y - 4 = 8$ _____

41) $11 = 7 + y$ _____

42) $5y + 7 = 22$ _____

43) $5y - 1 = 39$ _____

44) $7 = 9 - y$ _____

45) $6 \div y = 6$ _____

46) $8 + 9y = 53$ _____

47) $2y + 6 = 10$ _____

48) $5 - 5y = 0$ _____

49) $23 = 4y - 5$ _____

50) $9 = 27 \div y$ _____

MM) Solve for the variable.

1) $2 \times y = 4$ _____ 2) $15 = 7 + 8y$ _____ 3) $6 - y = 0$ _____ 4) $5 + 5y = 50$ _____

5) $3 = y \div 9$ _____ 6) $4 = 8 - y$ _____ 7) $56 - 6y = 2$ _____ 8) $59 = 8y + 3$ _____

9) $9 = 1y + 1$ _____ 10) $43 = 5y + 8$ _____ 11) $2 = y - 4$ _____ 12) $6 \times y = 12$ _____

13) $y \div 7 = 5$ _____ 14) $2y + 1 = 13$ _____ 15) $2y + 1 = 5$ _____ 16) $7 = 63 \div y$ _____

17) $11 = y + 7$ _____ 18) $7 = y \div 2$ _____ 19) $1 + y = 6$ _____ 20) $3 \times y = 15$ _____

21) $5 - y = 2$ _____ 22) $7 + 7y = 49$ _____ 23) $y \times 4 = 28$ _____ 24) $5 \times y = 30$ _____

25) $5y + 9 = 34$ _____ 26) $21 = 1 + 5y$ _____ 27) $7 = 5 + y$ _____ 28) $32 = y \times 8$ _____

29) $9 = 5 + y$ _____ 30) $y \times 8 = 24$ _____ 31) $1 = 3 \div y$ _____ 32) $5y - 1 = 4$ _____

33) $3 \times y = 24$ _____ 34) $9 = y \div 3$ _____ 35) $3 + 7y = 24$ _____ 36) $y - 7 = 1$ _____

37) $6 - y = 5$ _____ 38) $y - 2 = 1$ _____ 39) $26 = 8 + 2y$ _____ 40) $42 = 6y - 6$ _____

41) $3 = 6 - y$ _____ 42) $2y + 9 = 25$ _____ 43) $5 = 4 + y$ _____ 44) $7 = 9 - y$ _____

45) $5 = y - 4$ _____ 46) $5 + 2y = 7$ _____ 47) $y + 9 = 18$ _____ 48) $1 = 4 - y$ _____

49) $1y - 5 = 3$ _____ 50) $6 = y - 1$ _____

NN) Solve for the variable.

1) $y - 2 = 5$ _____

2) $1 \times y = 6$ _____

3) $8 = 16 \div y$ _____

4) $1 = 6 - y$ _____

5) $2 = y \div 6$ _____

6) $1 \times y = 3$ _____

7) $3 = y - 3$ _____

8) $2 + 1y = 4$ _____

9) $y \div 4 = 9$ _____

10) $9 = y + 5$ _____

11) $54 = 6 \times y$ _____

12) $24 \div y = 8$ _____

13) $2y + 6 = 14$ _____

14) $0 = 54 - 9y$ _____

15) $6 = 87 - 9y$ _____

16) $y - 3 = 2$ _____

17) $3 = 3 \times y$ _____

18) $10 = y + 3$ _____

19) $8 \div y = 2$ _____

20) $29 = 5y + 9$ _____

21) $12 = 7 + 5y$ _____

22) $16 = 3y - 5$ _____

23) $6 \div y = 6$ _____

24) $7 \times y = 35$ _____

25) $3 = 5 - 2y$ _____

26) $15 = 4y - 1$ _____

27) $38 = 6y + 8$ _____

28) $63 = 8y - 1$ _____

29) $y - 3 = 1$ _____

30) $6 + y = 14$ _____

31) $5 = 1 \times y$ _____

32) $27 = 6y - 3$ _____

33) $44 - 9y = 8$ _____

34) $26 = 7y - 9$ _____

35) $1 = 1 \times y$ _____

36) $6 \times y = 42$ _____

37) $y + 5 = 13$ _____

38) $y + 2 = 10$ _____

39) $7 - y = 3$ _____

40) $y \div 3 = 6$ _____

41) $6 = 3 \times y$ _____

42) $0 = 36 - 6y$ _____

43) $9 = y \div 8$ _____

44) $6 = 2y - 8$ _____

45) $11 = 8y - 5$ _____

46) $58 = 7y + 9$ _____

47) $3 = 27 \div y$ _____

48) $y + 4 = 6$ _____

49) $0 = 2y - 8$ _____

50) $7 = y \times 1$ _____

OO) Solve for the variable.

1) $2y + 1 = 11$ _____ 2) $17 = y + 8$ _____ 3) $6 + 8y = 78$ _____ 4) $63 = y \times 7$ _____

5) $5 + y = 10$ _____ 6) $9 = y \times 1$ _____ 7) $8 = 14 - 1y$ _____ 8) $23 = 2y + 7$ _____

9) $y \div 3 = 8$ _____ 10) $5 \times y = 45$ _____ 11) $8 \times y = 16$ _____ 12) $1 = 5 - y$ _____

13) $9 - y = 0$ _____ 14) $17 = 9 + y$ _____ 15) $18 - 2y = 4$ _____ 16) $2 = 7 - y$ _____

17) $8 - y = 6$ _____ 18) $4 = 7 - y$ _____ 19) $y \div 3 = 6$ _____ 20) $6 = 6 \times y$ _____

21) $5 = 1 + 4y$ _____ 22) $1 = 8 \div y$ _____ 23) $8y - 2 = 6$ _____ 24) $0 = 3 - y$ _____

25) $1 \times y = 2$ _____ 26) $3y + 2 = 20$ _____ 27) $2 = 10 \div y$ _____ 28) $6 = 2y - 2$ _____

29) $y \div 4 = 2$ _____ 30) $24 = 3y + 9$ _____ 31) $14 = 6 + 1y$ _____ 32) $4 = y - 3$ _____

33) $6 = y \times 3$ _____ 34) $2y - 1 = 13$ _____ 35) $5 = y - 2$ _____ 36) $4y - 9 = 3$ _____

37) $67 = 9y + 4$ _____ 38) $3 \times y = 27$ _____ 39) $1 = 22 - 3y$ _____ 40) $56 = 8y + 8$ _____

41) $5 + y = 13$ _____ 42) $3 = 6 - y$ _____ 43) $24 = 2y + 8$ _____ 44) $4y - 4 = 8$ _____

45) $28 \div y = 7$ _____ 46) $9 = 8 + y$ _____ 47) $y \div 6 = 5$ _____ 48) $y \times 5 = 35$ _____

49) $9 = y \div 4$ _____ 50) $4 = 8 - y$ _____

PP) Solve for the variable.

1) $16 = 8 + 1y$ _____

2) $30 = 5 + 5y$ _____

3) $14 = 2 + 2y$ _____

4) $y \div 3 = 2$ _____

5) $1y + 7 = 16$ _____

6) $7 \times y = 28$ _____

7) $y - 1 = 7$ _____

8) $6 + y = 14$ _____

9) $4 = 24 - 4y$ _____

10) $y \times 4 = 4$ _____

11) $6 = 69 - 9y$ _____

12) $4 = y - 4$ _____

13) $1 = 3y - 5$ _____

14) $2 = 10 \div y$ _____

15) $1 = 2 \div y$ _____

16) $9y + 8 = 71$ _____

17) $17 = 8 + y$ _____

18) $y - 6 = 3$ _____

19) $5 = y \div 6$ _____

20) $6 = y - 3$ _____

21) $5 \times y = 30$ _____

22) $8 = 44 - 6y$ _____

23) $3 = 8 - y$ _____

24) $74 = 2 + 9y$ _____

25) $1 = 5 \div y$ _____

26) $39 = 6y - 9$ _____

27) $10 = 8 + y$ _____

28) $34 - 7y = 6$ _____

29) $4 = y \times 2$ _____

30) $3 = 17 - 7y$ _____

31) $9y - 3 = 69$ _____

32) $2 = 8y - 6$ _____

33) $y \times 6 = 24$ _____

34) $7 = y \div 6$ _____

35) $3 + y = 4$ _____

36) $5 \times y = 45$ _____

37) $6 = y - 1$ _____

38) $2 = y + 1$ _____

39) $5 \times y = 35$ _____

40) $8 = 44 - 4y$ _____

41) $14 = 6y - 4$ _____

42) $3 = y - 6$ _____

43) $31 = 7y + 3$ _____

44) $22 - 2y = 4$ _____

45) $4 = 28 \div y$ _____

46) $y + 7 = 10$ _____

47) $6 = 18 \div y$ _____

48) $17 = 3y - 7$ _____

49) $5 = 2y - 7$ _____

50) $y \times 9 = 18$ _____

QQ) Solve for the variable.

1) $26 = 6y + 2$ _____

2) $2 - y = 1$ _____

3) $y - 1 = 5$ _____

4) $28 \div y = 4$ _____

5) $1y + 5 = 11$ _____

6) $2 = 22 - 4y$ _____

7) $8 + y = 11$ _____

8) $72 = y \times 9$ _____

9) $6 = y \div 3$ _____

10) $7y - 8 = 48$ _____

11) $12 \div y = 4$ _____

12) $6 + y = 9$ _____

13) $65 - 9y = 2$ _____

14) $8 = 7 + y$ _____

15) $2 = y \div 5$ _____

16) $4 = y \div 8$ _____

17) $y - 3 = 5$ _____

18) $5 + 3y = 32$ _____

19) $3y - 6 = 15$ _____

20) $7 = 8 - y$ _____

21) $y + 2 = 4$ _____

22) $42 = y \times 7$ _____

23) $56 = 7y - 7$ _____

24) $16 = 3y - 2$ _____

25) $y + 3 = 12$ _____

26) $y \times 1 = 4$ _____

27) $1 + y = 8$ _____

28) $y + 3 = 10$ _____

29) $28 \div y = 7$ _____

30) $9y + 4 = 58$ _____

31) $8 = y \div 4$ _____

32) $27 = 4y - 5$ _____

33) $8y + 5 = 45$ _____

34) $1y - 9 = 0$ _____

35) $36 - 9y = 0$ _____

36) $8y - 7 = 57$ _____

37) $36 = y \times 4$ _____

38) $14 = 1y + 7$ _____

39) $12 = y + 6$ _____

40) $2 = 42 - 5y$ _____

41) $12 = y + 9$ _____

42) $11 = 2 + y$ _____

43) $14 = 9 + y$ _____

44) $9 - y = 3$ _____

45) $13 = 9 + y$ _____

46) $2 = 37 - 7y$ _____

47) $8 = 26 - 2y$ _____

48) $14 = 2 + 4y$ _____

49) $9y - 1 = 71$ _____

50) $8 = 6 + 1y$ _____

RR) Solve for the variable.

1) $y - 7 = 2$ _____   2) $1 = 2 \div y$ _____   3) $y \div 3 = 1$ _____   4) $11 = y + 6$ _____

5) $0 = 3 - 1y$ _____   6) $2 + y = 11$ _____   7) $7 = 39 - 4y$ _____   8) $6 = 8 - y$ _____

9) $72 = 8 \times y$ _____   10) $7 + 3y = 22$ _____   11) $1y + 6 = 13$ _____   12) $4 = y - 2$ _____

13) $y \div 4 = 6$ _____   14) $5 = y \div 9$ _____   15) $3 - y = 1$ _____   16) $5 + y = 11$ _____

17) $y \times 2 = 14$ _____   18) $6 = 1y - 3$ _____   19) $10 = 3 + y$ _____   20) $8 = 3y + 2$ _____

21) $15 = 3 \times y$ _____   22) $2 = 3y - 1$ _____   23) $4 = 18 - 2y$ _____   24) $y - 3 = 2$ _____

25) $5 = 14 - 3y$ _____   26) $y \div 7 = 8$ _____   27) $9 = 3 + 1y$ _____   28) $5 \times y = 40$ _____

29) $y \div 1 = 7$ _____   30) $24 \div y = 8$ _____   31) $5 \times y = 25$ _____   32) $4 = 36 \div y$ _____

33) $6 = 12 \div y$ _____   34) $81 = y \times 9$ _____   35) $y \times 5 = 10$ _____   36) $10 = 9 + y$ _____

37) $32 = y \times 8$ _____   38) $9 \times y = 27$ _____   39) $8 \times y = 8$ _____   40) $y \times 7 = 7$ _____

41) $3 + 5y = 43$ _____   42) $8y + 7 = 31$ _____   43) $48 \div y = 6$ _____   44) $1 = 2y - 3$ _____

45) $4 + y = 12$ _____   46) $10 = 2 \times y$ _____   47) $53 = 4 + 7y$ _____   48) $4 = y \times 4$ _____

49) $6 - y = 5$ _____   50) $30 = 7y + 2$ _____

SS) Solve for the variable.

1) $7 = y \div 1$ _____   2) $y \div 3 = 5$ _____   3) $9 - y = 3$ _____   4) $63 = y \times 7$ _____

5) $8 = y \div 8$ _____   6) $7 + y = 10$ _____   7) $5y + 2 = 42$ _____   8) $6 = 24 \div y$ _____

9) $36 \div y = 9$ _____   10) $9y + 1 = 82$ _____   11) $3 = 6 \div y$ _____   12) $8 = 1 \times y$ _____

13) $23 = 6y - 7$ _____   14) $9 = 33 - 8y$ _____   15) $y \div 5 = 9$ _____   16) $y - 4 = 1$ _____

17) $2 = 8 \div y$ _____   18) $8y - 4 = 68$ _____   19) $8 = 28 - 4y$ _____   20) $y \div 9 = 5$ _____

21) $y \times 4 = 12$ _____   22) $3 + 9y = 57$ _____   23) $48 = 6 + 7y$ _____   24) $6 = 6 \times y$ _____

25) $5 \div y = 5$ _____   26) $75 = 9y + 3$ _____   27) $15 \div y = 5$ _____   28) $4 = y - 3$ _____

29) $8 = 9 - y$ _____   30) $7y + 4 = 32$ _____   31) $73 - 8y = 1$ _____   32) $y \times 6 = 42$ _____

33) $72 = 9 \times y$ _____   34) $18 = 9y - 9$ _____   35) $3y + 9 = 30$ _____   36) $3 = y - 1$ _____

37) $1 = 6 - y$ _____   38) $8 = 7 + y$ _____   39) $54 = 5 + 7y$ _____   40) $2 + y = 9$ _____

41) $6 = 4 + y$ _____   42) $y - 1 = 1$ _____   43) $10 = y \times 5$ _____   44) $y - 6 = 1$ _____

45) $2 = y - 1$ _____   46) $40 = 5 \times y$ _____   47) $7 = 8 - y$ _____   48) $8 - 1y = 1$ _____

49) $8y + 7 = 23$ _____   50) $53 = 7y + 4$ _____

TT) Solve for the variable.

1) y - 4 = 5 _____

2) 54 = y × 9 _____

3) 20 = 8 + 2y _____

4) y - 5 = 3 _____

5) 2 = 1 × y _____

6) 3 + 7y = 52 _____

7) 2y - 4 = 12 _____

8) 2 = 2y - 2 _____

9) 1 = 7 - y _____

10) 8 = 64 - 8y _____

11) 32 = 7y - 3 _____

12) 3 + y = 12 _____

13) y ÷ 9 = 5 _____

14) 6y - 4 = 32 _____

15) 11 = 7y - 3 _____

16) y ÷ 6 = 4 _____

17) y ÷ 6 = 1 _____

18) 35 = y × 7 _____

19) 8 - y = 1 _____

20) 7 × y = 7 _____

21) 1y + 1 = 8 _____

22) 11 = 8 + 3y _____

23) 15 = 6y + 9 _____

24) 6 = y + 3 _____

25) 8 = 32 ÷ y _____

26) 17 = 4y + 5 _____

27) 9 × y = 36 _____

28) y ÷ 7 = 6 _____

29) 4y + 5 = 13 _____

30) 5 + y = 14 _____

31) y × 8 = 16 _____

32) 16 = y × 4 _____

33) y × 2 = 6 _____

34) y + 7 = 16 _____

35) y - 4 = 1 _____

36) 3 = 7 - 2y _____

37) 56 - 7y = 0 _____

38) 1 = y ÷ 5 _____

39) 2 = y + 1 _____

40) 12 = 9 + y _____

41) y × 8 = 24 _____

42) 6 = 12 ÷ y _____

43) 5 + 2y = 13 _____

44) 13 = y + 8 _____

45) 8 = 4 × y _____

46) 3 = y - 3 _____

47) y - 1 = 3 _____

48) 4 = 6 - y _____

49) 7y - 8 = 48 _____

50) y + 2 = 6 _____

UU) Solve for the variable.

1) $16 = y + 7$ _____   2) $6 \times y = 36$ _____   3) $8 = y + 3$ _____   4) $12 = 3y + 6$ _____

5) $y \times 9 = 36$ _____   6) $86 = 9y + 5$ _____   7) $1 = 6 - y$ _____   8) $8 = y \times 4$ _____

9) $1 + 5y = 36$ _____   10) $6 = 2 \times y$ _____   11) $y + 8 = 12$ _____   12) $9 = y + 6$ _____

13) $6y - 2 = 52$ _____   14) $6 = 15 - 3y$ _____   15) $10 = y + 8$ _____   16) $7 \times y = 28$ _____

17) $20 = 8y - 4$ _____   18) $35 = 8y + 3$ _____   19) $22 = 4y - 2$ _____   20) $2 = 1 \times y$ _____

21) $0 = y - 9$ _____   22) $7 = 56 \div y$ _____   23) $2 \times y = 16$ _____   24) $8 = 2 \times y$ _____

25) $8 - y = 4$ _____   26) $3 = 8 - y$ _____   27) $12 = 3y + 3$ _____   28) $y \times 9 = 18$ _____

29) $5 = 35 - 5y$ _____   30) $9 = 19 - 2y$ _____   31) $76 = 8y + 4$ _____   32) $11 = 4 + y$ _____

33) $9 = 1y + 2$ _____   34) $5 = y + 4$ _____   35) $6 = y \times 3$ _____   36) $42 \div y = 6$ _____

37) $7 \times y = 35$ _____   38) $21 - 7y = 0$ _____   39) $y \div 1 = 4$ _____   40) $3 + y = 10$ _____

41) $9 - y = 8$ _____   42) $0 = 5 - y$ _____   43) $5 = 1 \times y$ _____   44) $1 + 3y = 25$ _____

45) $6 = 9 - y$ _____   46) $y - 3 = 5$ _____   47) $9y + 9 = 63$ _____   48) $10 \div y = 5$ _____

49) $2 = 4 \div y$ _____   50) $9 \times y = 9$ _____

VV) Solve for the variable.

1) 31 - 8y = 7 _____   2) 14 = 5 + y _____   3) y - 3 = 6 _____   4) 3 = y - 3 _____

5) 11 = 6 + 5y _____   6) 20 ÷ y = 4 _____   7) 2 × y = 16 _____   8) y × 9 = 45 _____

9) 16 = 4 × y _____   10) y + 3 = 5 _____   11) 7 = y - 2 _____   12) 9 = 63 ÷ y _____

13) 3y - 9 = 3 _____   14) y - 7 = 0 _____   15) 1 = y ÷ 3 _____   16) y - 2 = 2 _____

17) 9 × y = 54 _____   18) 9 = 1y + 2 _____   19) 8y + 1 = 17 _____   20) 9 - y = 5 _____

21) 87 = 9y + 6 _____   22) 48 = 7y - 1 _____   23) 4 = y + 2 _____   24) 3 + 1y = 11 _____

25) y + 2 = 5 _____   26) 32 = 4 × y _____   27) y + 5 = 6 _____   28) 9y - 8 = 55 _____

29) y ÷ 7 = 8 _____   30) 1 = 9 - y _____   31) 1y - 1 = 0 _____   32) 53 = 8y - 3 _____

33) 5 = y ÷ 3 _____   34) y - 6 = 2 _____   35) 0 = 3 - y _____   36) 41 = 5y + 6 _____

37) 2 = 14 - 6y _____   38) 8y + 4 = 52 _____   39) y - 2 = 4 _____   40) 6 - y = 2 _____

41) 28 = y × 7 _____   42) 7 = 9 - y _____   43) 5 = 6y - 7 _____   44) 24 = 8 + 2y _____

45) 1 = 25 - 6y _____   46) 2 + 7y = 44 _____   47) y ÷ 7 = 6 _____   48) y ÷ 8 = 2 _____

49) 4y - 3 = 13 _____   50) 3 = y - 1 _____

WW) Solve for the variable.

1) $y - 7 = 2$ _____

2) $4y + 8 = 36$ _____

3) $2 = 2 \div y$ _____

4) $5 = y \div 7$ _____

5) $5 = y - 2$ _____

6) $14 = 9y - 4$ _____

7) $8 - 2y = 2$ _____

8) $35 - 7y = 0$ _____

9) $5 = 1y - 4$ _____

10) $3 = 4 - y$ _____

11) $y \div 3 = 7$ _____

12) $1 = y - 6$ _____

13) $56 \div y = 7$ _____

14) $y \times 8 = 64$ _____

15) $8y - 2 = 54$ _____

16) $12 = 7 + 5y$ _____

17) $y \times 3 = 12$ _____

18) $y \times 2 = 4$ _____

19) $y \div 8 = 6$ _____

20) $y + 6 = 9$ _____

21) $5 + y = 12$ _____

22) $13 = 5 + y$ _____

23) $5 = 15 \div y$ _____

24) $7 - y = 3$ _____

25) $4 = y - 5$ _____

26) $8 = y + 4$ _____

27) $y - 1 = 2$ _____

28) $2y + 6 = 18$ _____

29) $19 - 6y = 7$ _____

30) $y - 2 = 4$ _____

31) $63 \div y = 9$ _____

32) $81 = 9 \times y$ _____

33) $1 \times y = 1$ _____

34) $y + 3 = 6$ _____

35) $30 = 4y - 2$ _____

36) $17 = 8 + 9y$ _____

37) $49 = 7 \times y$ _____

38) $y - 2 = 6$ _____

39) $6 \div y = 1$ _____

40) $10 = 1 + y$ _____

41) $y + 1 = 6$ _____

42) $2 = 8 - y$ _____

43) $28 \div y = 7$ _____

44) $y \div 6 = 1$ _____

45) $y + 2 = 5$ _____

46) $8 = 72 \div y$ _____

47) $7 - 2y = 1$ _____

48) $8 + y = 13$ _____

49) $y - 1 = 4$ _____

50) $9 = 9 \times y$ _____

XX) Solve for the variable.

1) $7 = 9 - y$ _____

2) $5 = y + 2$ _____

3) $15 = y + 7$ _____

4) $44 = 8y - 4$ _____

5) $3 = 9 - y$ _____

6) $15 = 8 + y$ _____

7) $2 = 58 - 7y$ _____

8) $3 = 27 \div y$ _____

9) $4 + y = 8$ _____

10) $8 = 5 + y$ _____

11) $12 = 4 \times y$ _____

12) $5 = y \div 5$ _____

13) $1 \div y = 1$ _____

14) $1 = y \div 8$ _____

15) $45 = y \times 5$ _____

16) $5 + 6y = 29$ _____

17) $5 + 1y = 11$ _____

18) $28 - 8y = 4$ _____

19) $5 = y + 4$ _____

20) $y \div 5 = 8$ _____

21) $4y + 2 = 38$ _____

22) $68 = 8y - 4$ _____

23) $8y - 9 = 63$ _____

24) $2 + 1y = 4$ _____

25) $5 + y = 7$ _____

26) $10 = 6 + y$ _____

27) $8 + 6y = 62$ _____

28) $5y - 4 = 6$ _____

29) $5 = y \times 5$ _____

30) $4 = 13 - 9y$ _____

31) $2 \div y = 1$ _____

32) $9 = 36 \div y$ _____

33) $27 = 6y - 3$ _____

34) $7 = 43 - 6y$ _____

35) $6y + 7 = 43$ _____

36) $1 = 49 - 6y$ _____

37) $8 \times y = 32$ _____

38) $5 - y = 1$ _____

39) $3 = y - 6$ _____

40) $y + 3 = 7$ _____

41) $20 = 7y - 1$ _____

42) $3 - y = 0$ _____

43) $8 = y - 1$ _____

44) $y \times 4 = 28$ _____

45) $2 = 66 - 8y$ _____

46) $1 \times y = 6$ _____

47) $7 = y \times 7$ _____

48) $7 = 1 \times y$ _____

49) $2y - 6 = 0$ _____

50) $11 = 3 + 4y$ _____

A) Solve for the variable.

1) $6 + y = 15$ $y = 9$ 2) $y + 8 = 17$ $y = 9$ 3) $y + 6 = 14$ $y = 8$ 4) $7 + y = 16$ $y = 9$

5) $1 + y = 4$ $y = 3$ 6) $y + 2 = 7$ $y = 5$ 7) $7 + y = 13$ $y = 6$ 8) $y + 4 = 7$ $y = 3$

9) $2 + y = 8$ $y = 6$ 10) $3 + y = 6$ $y = 3$ 11) $3 + y = 12$ $y = 9$ 12) $y + 6 = 13$ $y = 7$

13) $3 + y = 9$ $y = 6$ 14) $y + 4 = 10$ $y = 6$ 15) $2 + y = 10$ $y = 8$ 16) $6 + y = 10$ $y = 4$

17) $y + 4 = 9$ $y = 5$ 18) $5 + y = 9$ $y = 4$ 19) $7 + y = 9$ $y = 2$ 20) $y + 5 = 8$ $y = 3$

21) $y + 5 = 7$ $y = 2$ 22) $9 + y = 17$ $y = 8$ 23) $y + 5 = 13$ $y = 8$ 24) $y + 7 = 15$ $y = 8$

25) $y + 8 = 14$ $y = 6$ 26) $y + 9 = 12$ $y = 3$ 27) $8 + y = 11$ $y = 3$ 28) $y + 1 = 2$ $y = 1$

29) $y + 9 = 13$ $y = 4$ 30) $4 + y = 8$ $y = 4$ 31) $3 + y = 5$ $y = 2$ 32) $4 + y = 12$ $y = 8$

33) $3 + y = 4$ $y = 1$ 34) $y + 7 = 10$ $y = 3$ 35) $5 + y = 14$ $y = 9$ 36) $8 + y = 16$ $y = 8$

37) $4 + y = 5$ $y = 1$ 38) $9 + y = 18$ $y = 9$ 39) $1 + y = 10$ $y = 9$ 40) $y + 2 = 9$ $y = 7$

41) $1 + y = 8$ $y = 7$ 42) $y + 3 = 11$ $y = 8$ 43) $6 + y = 12$ $y = 6$ 44) $y + 7 = 12$ $y = 5$

45) $y + 5 = 12$ $y = 7$ 46) $y + 2 = 4$ $y = 2$ 47) $1 + y = 9$ $y = 8$ 48) $3 + y = 8$ $y = 5$

49) $y + 2 = 5$ $y = 3$ 50) $y + 1 = 7$ $y = 6$

B) Solve for the variable.

1) $2 + y = 10$ $y = 8$ 2) $5 + y = 12$ $y = 7$ 3) $y + 9 = 11$ $y = 2$ 4) $2 + y = 9$ $y = 7$

5) $y + 7 = 16$ $y = 9$ 6) $6 + y = 12$ $y = 6$ 7) $y + 1 = 2$ $y = 1$ 8) $y + 2 = 7$ $y = 5$

9) $7 + y = 10$ $y = 3$ 10) $3 + y = 4$ $y = 1$ 11) $y + 4 = 9$ $y = 5$ 12) $9 + y = 18$ $y = 9$

13) $2 + y = 3$ $y = 1$ 14) $3 + y = 8$ $y = 5$ 15) $y + 6 = 11$ $y = 5$ 16) $9 + y = 13$ $y = 4$

17) $5 + y = 11$ $y = 6$ 18) $1 + y = 7$ $y = 6$ 19) $y + 5 = 8$ $y = 3$ 20) $y + 3 = 9$ $y = 6$

21) $y + 7 = 12$ $y = 5$ 22) $2 + y = 4$ $y = 2$ 23) $2 + y = 5$ $y = 3$ 24) $y + 8 = 10$ $y = 2$

25) $y + 8 = 16$ $y = 8$ 26) $6 + y = 14$ $y = 8$ 27) $y + 9 = 12$ $y = 3$ 28) $1 + y = 5$ $y = 4$

29) $y + 8 = 13$ $y = 5$ 30) $y + 9 = 17$ $y = 8$ 31) $7 + y = 9$ $y = 2$ 32) $y + 3 = 12$ $y = 9$

33) $4 + y = 11$ $y = 7$ 34) $y + 7 = 15$ $y = 8$ 35) $8 + y = 12$ $y = 4$ 36) $3 + y = 5$ $y = 2$

37) $9 + y = 15$ $y = 6$ 38) $y + 6 = 9$ $y = 3$ 39) $y + 5 = 9$ $y = 4$ 40) $y + 6 = 8$ $y = 2$

41) $y + 1 = 8$ $y = 7$ 42) $1 + y = 3$ $y = 2$ 43) $y + 7 = 11$ $y = 4$ 44) $y + 3 = 10$ $y = 7$

45) $y + 5 = 7$ $y = 2$ 46) $y + 2 = 11$ $y = 9$ 47) $y + 8 = 9$ $y = 1$ 48) $7 + y = 14$ $y = 7$

49) $y + 4 = 12$ $y = 8$ 50) $y + 4 = 6$ $y = 2$

2

C) Solve for the variable.

1) $y + 5 = 7$ $y = 2$ 2) $2 + y = 10$ $y = 8$ 3) $8 + y = 9$ $y = 1$ 4) $y + 4 = 9$ $y = 5$

5) $y + 3 = 11$ $y = 8$ 6) $y + 2 = 7$ $y = 5$ 7) $3 + y = 4$ $y = 1$ 8) $y + 5 = 9$ $y = 4$

9) $y + 5 = 10$ $y = 5$ 10) $y + 8 = 11$ $y = 3$ 11) $y + 2 = 11$ $y = 9$ 12) $y + 1 = 3$ $y = 2$

13) $6 + y = 14$ $y = 8$ 14) $y + 4 = 10$ $y = 6$ 15) $8 + y = 10$ $y = 2$ 16) $y + 2 = 6$ $y = 4$

17) $4 + y = 5$ $y = 1$ 18) $7 + y = 9$ $y = 2$ 19) $7 + y = 13$ $y = 6$ 20) $3 + y = 8$ $y = 5$

21) $y + 5 = 13$ $y = 8$ 22) $y + 1 = 4$ $y = 3$ 23) $2 + y = 3$ $y = 1$ 24) $1 + y = 8$ $y = 7$

25) $2 + y = 4$ $y = 2$ 26) $y + 6 = 11$ $y = 5$ 27) $8 + y = 17$ $y = 9$ 28) $5 + y = 6$ $y = 1$

29) $y + 7 = 14$ $y = 7$ 30) $y + 8 = 14$ $y = 6$ 31) $1 + y = 7$ $y = 6$ 32) $7 + y = 16$ $y = 9$

33) $7 + y = 12$ $y = 5$ 34) $y + 3 = 5$ $y = 2$ 35) $6 + y = 13$ $y = 7$ 36) $8 + y = 15$ $y = 7$

37) $y + 9 = 11$ $y = 2$ 38) $5 + y = 8$ $y = 3$ 39) $y + 9 = 10$ $y = 1$ 40) $3 + y = 9$ $y = 6$

41) $9 + y = 12$ $y = 3$ 42) $y + 9 = 15$ $y = 6$ 43) $y + 5 = 12$ $y = 7$ 44) $6 + y = 10$ $y = 4$

45) $9 + y = 18$ $y = 9$ 46) $y + 6 = 8$ $y = 2$ 47) $3 + y = 12$ $y = 9$ 48) $5 + y = 14$ $y = 9$

49) $y + 2 = 8$ $y = 6$ 50) $4 + y = 11$ $y = 7$

D) Solve for the variable.

1) $4 + y = 8$ $\underline{y = 4}$ 2) $1 + y = 6$ $\underline{y = 5}$ 3) $5 + y = 7$ $\underline{y = 2}$ 4) $y + 1 = 3$ $\underline{y = 2}$

5) $9 + y = 12$ $\underline{y = 3}$ 6) $y + 1 = 5$ $\underline{y = 4}$ 7) $y + 8 = 13$ $\underline{y = 5}$ 8) $4 + y = 12$ $\underline{y = 8}$

9) $y + 2 = 10$ $\underline{y = 8}$ 10) $4 + y = 6$ $\underline{y = 2}$ 11) $8 + y = 11$ $\underline{y = 3}$ 12) $7 + y = 9$ $\underline{y = 2}$

13) $y + 4 = 7$ $\underline{y = 3}$ 14) $y + 3 = 7$ $\underline{y = 4}$ 15) $y + 2 = 7$ $\underline{y = 5}$ 16) $8 + y = 10$ $\underline{y = 2}$

17) $8 + y = 14$ $\underline{y = 6}$ 18) $1 + y = 7$ $\underline{y = 6}$ 19) $7 + y = 15$ $\underline{y = 8}$ 20) $7 + y = 16$ $\underline{y = 9}$

21) $8 + y = 15$ $\underline{y = 7}$ 22) $1 + y = 2$ $\underline{y = 1}$ 23) $y + 2 = 6$ $\underline{y = 4}$ 24) $y + 7 = 10$ $\underline{y = 3}$

25) $5 + y = 9$ $\underline{y = 4}$ 26) $3 + y = 8$ $\underline{y = 5}$ 27) $y + 6 = 15$ $\underline{y = 9}$ 28) $2 + y = 5$ $\underline{y = 3}$

29) $y + 9 = 16$ $\underline{y = 7}$ 30) $7 + y = 8$ $\underline{y = 1}$ 31) $y + 7 = 12$ $\underline{y = 5}$ 32) $8 + y = 12$ $\underline{y = 4}$

33) $2 + y = 8$ $\underline{y = 6}$ 34) $y + 6 = 14$ $\underline{y = 8}$ 35) $y + 1 = 9$ $\underline{y = 8}$ 36) $y + 9 = 11$ $\underline{y = 2}$

37) $y + 9 = 18$ $\underline{y = 9}$ 38) $y + 2 = 4$ $\underline{y = 2}$ 39) $y + 5 = 8$ $\underline{y = 3}$ 40) $1 + y = 10$ $\underline{y = 9}$

41) $6 + y = 13$ $\underline{y = 7}$ 42) $2 + y = 3$ $\underline{y = 1}$ 43) $y + 5 = 10$ $\underline{y = 5}$ 44) $y + 7 = 11$ $\underline{y = 4}$

45) $y + 1 = 4$ $\underline{y = 3}$ 46) $9 + y = 15$ $\underline{y = 6}$ 47) $y + 2 = 9$ $\underline{y = 7}$ 48) $4 + y = 13$ $\underline{y = 9}$

49) $6 + y = 9$ $\underline{y = 3}$ 50) $4 + y = 5$ $\underline{y = 1}$

4

E) Solve for the variable.

1) $y + 3 = 6$ $\underline{y = 3}$ 2) $y + 5 = 6$ $\underline{y = 1}$ 3) $9 + y = 13$ $\underline{y = 4}$ 4) $y + 1 = 5$ $\underline{y = 4}$

5) $4 + y = 13$ $\underline{y = 9}$ 6) $2 + y = 9$ $\underline{y = 7}$ 7) $y + 2 = 11$ $\underline{y = 9}$ 8) $6 + y = 11$ $\underline{y = 5}$

9) $y + 9 = 11$ $\underline{y = 2}$ 10) $y + 7 = 14$ $\underline{y = 7}$ 11) $4 + y = 12$ $\underline{y = 8}$ 12) $y + 6 = 14$ $\underline{y = 8}$

13) $y + 8 = 10$ $\underline{y = 2}$ 14) $7 + y = 12$ $\underline{y = 5}$ 15) $9 + y = 14$ $\underline{y = 5}$ 16) $7 + y = 10$ $\underline{y = 3}$

17) $y + 4 = 10$ $\underline{y = 6}$ 18) $7 + y = 9$ $\underline{y = 2}$ 19) $6 + y = 7$ $\underline{y = 1}$ 20) $y + 6 = 9$ $\underline{y = 3}$

21) $6 + y = 10$ $\underline{y = 4}$ 22) $y + 8 = 15$ $\underline{y = 7}$ 23) $3 + y = 7$ $\underline{y = 4}$ 24) $y + 8 = 12$ $\underline{y = 4}$

25) $y + 7 = 8$ $\underline{y = 1}$ 26) $y + 2 = 3$ $\underline{y = 1}$ 27) $5 + y = 14$ $\underline{y = 9}$ 28) $1 + y = 9$ $\underline{y = 8}$

29) $y + 7 = 13$ $\underline{y = 6}$ 30) $y + 1 = 10$ $\underline{y = 9}$ 31) $y + 9 = 10$ $\underline{y = 1}$ 32) $y + 3 = 9$ $\underline{y = 6}$

33) $y + 6 = 8$ $\underline{y = 2}$ 34) $2 + y = 10$ $\underline{y = 8}$ 35) $y + 2 = 8$ $\underline{y = 6}$ 36) $y + 6 = 15$ $\underline{y = 9}$

37) $y + 8 = 13$ $\underline{y = 5}$ 38) $3 + y = 12$ $\underline{y = 9}$ 39) $5 + y = 8$ $\underline{y = 3}$ 40) $2 + y = 6$ $\underline{y = 4}$

41) $9 + y = 17$ $\underline{y = 8}$ 42) $y + 5 = 10$ $\underline{y = 5}$ 43) $5 + y = 9$ $\underline{y = 4}$ 44) $y + 3 = 11$ $\underline{y = 8}$

45) $7 + y = 15$ $\underline{y = 8}$ 46) $1 + y = 6$ $\underline{y = 5}$ 47) $6 + y = 13$ $\underline{y = 7}$ 48) $y + 2 = 4$ $\underline{y = 2}$

49) $9 + y = 18$ $\underline{y = 9}$ 50) $y + 2 = 5$ $\underline{y = 3}$

F) Solve for the variable.

1) y - 7 = 1 $y = 8$ 2) y - 3 = 0 $y = 3$ 3) y - 2 = 5 $y = 7$ 4) 7 - y = 1 $y = 6$

5) 9 - y = 5 $y = 4$ 6) y - 9 = 0 $y = 9$ 7) y - 3 = 5 $y = 8$ 8) 6 - y = 2 $y = 4$

9) y - 6 = 2 $y = 8$ 10) y - 1 = 1 $y = 2$ 11) 7 - y = 6 $y = 1$ 12) 6 - y = 4 $y = 2$

13) 9 - y = 2 $y = 7$ 14) y - 2 = 3 $y = 5$ 15) 9 - y = 6 $y = 3$ 16) 8 - y = 5 $y = 3$

17) 7 - y = 2 $y = 5$ 18) 9 - y = 1 $y = 8$ 19) y - 2 = 7 $y = 9$ 20) 7 - y = 5 $y = 2$

21) y - 7 = 1 $y = 8$ 22) y - 3 = 3 $y = 6$ 23) 4 - y = 2 $y = 2$ 24) y - 1 = 3 $y = 4$

25) 4 - y = 1 $y = 3$ 26) 7 - y = 4 $y = 3$ 27) y - 6 = 1 $y = 7$ 28) y - 6 = 3 $y = 9$

29) y - 5 = 1 $y = 6$ 30) 5 - y = 4 $y = 1$ 31) y - 3 = 3 $y = 6$ 32) y - 2 = 1 $y = 3$

33) y - 1 = 7 $y = 8$ 34) y - 3 = 2 $y = 5$ 35) 4 - y = 0 $y = 4$ 36) 9 - y = 4 $y = 5$

37) y - 8 = 1 $y = 9$ 38) y - 3 = 4 $y = 7$ 39) 8 - y = 4 $y = 4$ 40) 8 - y = 6 $y = 2$

41) 9 - y = 3 $y = 6$ 42) 8 - y = 6 $y = 2$ 43) 9 - y = 5 $y = 4$ 44) 9 - y = 8 $y = 1$

45) 9 - y = 2 $y = 7$ 46) 3 - y = 2 $y = 1$ 47) y - 4 = 1 $y = 5$ 48) 6 - y = 2 $y = 4$

49) 2 - y = 0 $y = 2$ 50) y - 1 = 8 $y = 9$

6

G) Solve for the variable.

1) $9 - y = 7$ _$y = 2$_   2) $y - 1 = 3$ _$y = 4$_   3) $y - 5 = 4$ _$y = 9$_   4) $y - 7 = 1$ _$y = 8$_

5) $8 - y = 4$ _$y = 4$_   6) $8 - y = 3$ _$y = 5$_   7) $5 - y = 2$ _$y = 3$_   8) $y - 3 = 0$ _$y = 3$_

9) $y - 4 = 1$ _$y = 5$_   10) $6 - y = 2$ _$y = 4$_   11) $y - 4 = 0$ _$y = 4$_   12) $y - 2 = 3$ _$y = 5$_

13) $y - 5 = 4$ _$y = 9$_   14) $y - 5 = 2$ _$y = 7$_   15) $7 - y = 4$ _$y = 3$_   16) $9 - y = 8$ _$y = 1$_

17) $9 - y = 1$ _$y = 8$_   18) $y - 3 = 6$ _$y = 9$_   19) $5 - y = 0$ _$y = 5$_   20) $7 - y = 3$ _$y = 4$_

21) $y - 2 = 1$ _$y = 3$_   22) $7 - y = 1$ _$y = 6$_   23) $y - 6 = 3$ _$y = 9$_   24) $3 - y = 2$ _$y = 1$_

25) $8 - y = 6$ _$y = 2$_   26) $9 - y = 5$ _$y = 4$_   27) $8 - y = 0$ _$y = 8$_   28) $6 - y = 0$ _$y = 6$_

29) $y - 1 = 8$ _$y = 9$_   30) $y - 2 = 1$ _$y = 3$_   31) $8 - y = 2$ _$y = 6$_   32) $y - 4 = 5$ _$y = 9$_

33) $9 - y = 1$ _$y = 8$_   34) $y - 4 = 3$ _$y = 7$_   35) $6 - y = 4$ _$y = 2$_   36) $y - 5 = 1$ _$y = 6$_

37) $y - 2 = 6$ _$y = 8$_   38) $5 - y = 1$ _$y = 4$_   39) $y - 3 = 5$ _$y = 8$_   40) $9 - y = 6$ _$y = 3$_

41) $y - 1 = 6$ _$y = 7$_   42) $y - 1 = 5$ _$y = 6$_   43) $y - 2 = 2$ _$y = 4$_   44) $y - 1 = 4$ _$y = 5$_

45) $y - 7 = 2$ _$y = 9$_   46) $6 - y = 4$ _$y = 2$_   47) $y - 2 = 3$ _$y = 5$_   48) $y - 5 = 2$ _$y = 7$_

49) $y - 3 = 5$ _$y = 8$_   50) $y - 1 = 1$ _$y = 2$_

H) Solve for the variable.

1) 4 - y = 0 $y = 4$ 2) 4 - y = 2 $y = 2$ 3) y - 2 = 5 $y = 7$ 4) 7 - y = 2 $y = 5$

5) 9 - y = 8 $y = 1$ 6) y - 3 = 1 $y = 4$ 7) y - 4 = 2 $y = 6$ 8) y - 4 = 4 $y = 8$

9) y - 4 = 4 $y = 8$ 10) y - 4 = 1 $y = 5$ 11) y - 5 = 4 $y = 9$ 12) y - 5 = 0 $y = 5$

13) y - 1 = 4 $y = 5$ 14) y - 3 = 3 $y = 6$ 15) y - 7 = 2 $y = 9$ 16) 5 - y = 2 $y = 3$

17) 7 - y = 1 $y = 6$ 18) y - 2 = 6 $y = 8$ 19) y - 7 = 1 $y = 8$ 20) y - 3 = 0 $y = 3$

21) 7 - y = 5 $y = 2$ 22) 9 - y = 6 $y = 3$ 23) y - 3 = 2 $y = 5$ 24) 7 - y = 3 $y = 4$

25) 9 - y = 8 $y = 1$ 26) y - 1 = 7 $y = 8$ 27) y - 6 = 1 $y = 7$ 28) y - 4 = 3 $y = 7$

29) y - 5 = 2 $y = 7$ 30) y - 7 = 1 $y = 8$ 31) y - 8 = 1 $y = 9$ 32) y - 2 = 3 $y = 5$

33) y - 6 = 3 $y = 9$ 34) y - 1 = 6 $y = 7$ 35) y - 1 = 7 $y = 8$ 36) y - 2 = 6 $y = 8$

37) y - 3 = 3 $y = 6$ 38) 7 - y = 6 $y = 1$ 39) y - 1 = 5 $y = 6$ 40) 9 - y = 3 $y = 6$

41) y - 2 = 3 $y = 5$ 42) 9 - y = 5 $y = 4$ 43) 2 - y = 1 $y = 1$ 44) y - 6 = 2 $y = 8$

45) y - 2 = 4 $y = 6$ 46) 9 - y = 5 $y = 4$ 47) y - 7 = 0 $y = 7$ 48) 6 - y = 1 $y = 5$

49) 3 - y = 2 $y = 1$ 50) y - 1 = 4 $y = 5$

I) Solve for the variable.

1) $6 - y = 1$ __$y = 5$__   2) $6 - y = 0$ __$y = 6$__   3) $7 - y = 1$ __$y = 6$__   4) $7 - y = 3$ __$y = 4$__

5) $y - 2 = 4$ __$y = 6$__   6) $y - 9 = 0$ __$y = 9$__   7) $9 - y = 7$ __$y = 2$__   8) $y - 7 = 1$ __$y = 8$__

9) $y - 4 = 3$ __$y = 7$__   10) $8 - y = 6$ __$y = 2$__   11) $9 - y = 1$ __$y = 8$__   12) $y - 2 = 3$ __$y = 5$__

13) $8 - y = 2$ __$y = 6$__   14) $y - 2 = 6$ __$y = 8$__   15) $8 - y = 4$ __$y = 4$__   16) $9 - y = 8$ __$y = 1$__

17) $9 - y = 4$ __$y = 5$__   18) $9 - y = 2$ __$y = 7$__   19) $y - 1 = 1$ __$y = 2$__   20) $7 - y = 0$ __$y = 7$__

21) $3 - y = 1$ __$y = 2$__   22) $5 - y = 2$ __$y = 3$__   23) $y - 3 = 5$ __$y = 8$__   24) $9 - y = 6$ __$y = 3$__

25) $y - 1 = 2$ __$y = 3$__   26) $y - 5 = 1$ __$y = 6$__   27) $9 - y = 4$ __$y = 5$__   28) $9 - y = 3$ __$y = 6$__

29) $9 - y = 6$ __$y = 3$__   30) $9 - y = 5$ __$y = 4$__   31) $y - 5 = 2$ __$y = 7$__   32) $6 - y = 5$ __$y = 1$__

33) $y - 5 = 3$ __$y = 8$__   34) $9 - y = 3$ __$y = 6$__   35) $y - 4 = 0$ __$y = 4$__   36) $y - 7 = 2$ __$y = 9$__

37) $7 - y = 1$ __$y = 6$__   38) $4 - y = 3$ __$y = 1$__   39) $8 - y = 2$ __$y = 6$__   40) $7 - y = 4$ __$y = 3$__

41) $4 - y = 2$ __$y = 2$__   42) $y - 3 = 5$ __$y = 8$__   43) $5 - y = 4$ __$y = 1$__   44) $y - 5 = 0$ __$y = 5$__

45) $y - 3 = 1$ __$y = 4$__   46) $y - 3 = 2$ __$y = 5$__   47) $6 - y = 3$ __$y = 3$__   48) $8 - y = 1$ __$y = 7$__

49) $y - 1 = 7$ __$y = 8$__   50) $3 - y = 2$ __$y = 1$__

J) Solve for the variable.

1) y - 3 = 3 $y = 6$ 2) y - 2 = 1 $y = 3$ 3) 8 - y = 0 $y = 8$ 4) 8 - y = 2 $y = 6$

5) 6 - y = 1 $y = 5$ 6) y - 6 = 1 $y = 7$ 7) 6 - y = 5 $y = 1$ 8) y - 1 = 2 $y = 3$

9) 5 - y = 0 $y = 5$ 10) y - 3 = 2 $y = 5$ 11) y - 6 = 1 $y = 7$ 12) 8 - y = 7 $y = 1$

13) 6 - y = 4 $y = 2$ 14) y - 4 = 3 $y = 7$ 15) 4 - y = 1 $y = 3$ 16) 9 - y = 1 $y = 8$

17) 9 - y = 0 $y = 9$ 18) 9 - y = 5 $y = 4$ 19) y - 4 = 1 $y = 5$ 20) y - 4 = 5 $y = 9$

21) y - 1 = 6 $y = 7$ 22) y - 2 = 2 $y = 4$ 23) y - 5 = 3 $y = 8$ 24) y - 1 = 0 $y = 1$

25) y - 1 = 4 $y = 5$ 26) 2 - y = 1 $y = 1$ 27) 6 - y = 2 $y = 4$ 28) 8 - y = 6 $y = 2$

29) y - 2 = 7 $y = 9$ 30) 8 - y = 1 $y = 7$ 31) y - 3 = 1 $y = 4$ 32) y - 1 = 1 $y = 2$

33) 9 - y = 4 $y = 5$ 34) 2 - y = 0 $y = 2$ 35) y - 1 = 5 $y = 6$ 36) 9 - y = 1 $y = 8$

37) 8 - y = 4 $y = 4$ 38) y - 2 = 6 $y = 8$ 39) y - 3 = 4 $y = 7$ 40) 9 - y = 8 $y = 1$

41) 9 - y = 6 $y = 3$ 42) y - 1 = 7 $y = 8$ 43) y - 1 = 6 $y = 7$ 44) 8 - y = 1 $y = 7$

45) 7 - y = 2 $y = 5$ 46) 9 - y = 8 $y = 1$ 47) y - 2 = 5 $y = 7$ 48) 9 - y = 3 $y = 6$

49) 8 - y = 3 $y = 5$ 50) y - 2 = 7 $y = 9$

K) Solve for the variable.

1) $1 \times y = 7$ $y = 7$
2) $y \times 6 = 30$ $y = 5$
3) $y \times 4 = 12$ $y = 3$
4) $9 \times y = 36$ $y = 4$

5) $3 \times y = 18$ $y = 6$
6) $y \times 6 = 36$ $y = 6$
7) $8 \times y = 32$ $y = 4$
8) $y \times 8 = 24$ $y = 3$

9) $8 \times y = 72$ $y = 9$
10) $y \times 7 = 28$ $y = 4$
11) $y \times 1 = 8$ $y = 8$
12) $2 \times y = 12$ $y = 6$

13) $y \times 9 = 54$ $y = 6$
14) $1 \times y = 4$ $y = 4$
15) $2 \times y = 6$ $y = 3$
16) $y \times 7 = 49$ $y = 7$

17) $y \times 1 = 1$ $y = 1$
18) $4 \times y = 32$ $y = 8$
19) $y \times 1 = 9$ $y = 9$
20) $6 \times y = 24$ $y = 4$

21) $y \times 9 = 18$ $y = 2$
22) $7 \times y = 63$ $y = 9$
23) $3 \times y = 15$ $y = 5$
24) $7 \times y = 35$ $y = 5$

25) $7 \times y = 14$ $y = 2$
26) $y \times 5 = 15$ $y = 3$
27) $4 \times y = 20$ $y = 5$
28) $5 \times y = 10$ $y = 2$

29) $y \times 4 = 8$ $y = 2$
30) $y \times 5 = 20$ $y = 4$
31) $y \times 4 = 28$ $y = 7$
32) $6 \times y = 6$ $y = 1$

33) $9 \times y = 63$ $y = 7$
34) $y \times 5 = 45$ $y = 9$
35) $y \times 7 = 42$ $y = 6$
36) $6 \times y = 12$ $y = 2$

37) $9 \times y = 81$ $y = 9$
38) $y \times 3 = 12$ $y = 4$
39) $y \times 7 = 21$ $y = 3$
40) $6 \times y = 48$ $y = 8$

41) $8 \times y = 56$ $y = 7$
42) $6 \times y = 18$ $y = 3$
43) $y \times 1 = 2$ $y = 2$
44) $y \times 5 = 25$ $y = 5$

45) $y \times 2 = 16$ $y = 8$
46) $y \times 4 = 36$ $y = 9$
47) $y \times 3 = 21$ $y = 7$
48) $y \times 2 = 10$ $y = 5$

49) $2 \times y = 2$ $y = 1$
50) $1 \times y = 6$ $y = 6$

L) Solve for the variable.

1) $y \times 4 = 8$ $\underline{y = 2}$ 　　2) $4 \times y = 4$ $\underline{y = 1}$ 　　3) $y \times 5 = 40$ $\underline{y = 8}$ 　　4) $1 \times y = 4$ $\underline{y = 4}$

5) $y \times 8 = 16$ $\underline{y = 2}$ 　　6) $y \times 4 = 20$ $\underline{y = 5}$ 　　7) $y \times 2 = 18$ $\underline{y = 9}$ 　　8) $y \times 1 = 7$ $\underline{y = 7}$

9) $7 \times y = 35$ $\underline{y = 5}$ 　10) $y \times 2 = 6$ $\underline{y = 3}$ 　11) $y \times 2 = 12$ $\underline{y = 6}$ 　12) $2 \times y = 14$ $\underline{y = 7}$

13) $2 \times y = 16$ $\underline{y = 8}$ 　14) $y \times 6 = 30$ $\underline{y = 5}$ 　15) $y \times 6 = 6$ $\underline{y = 1}$ 　16) $9 \times y = 18$ $\underline{y = 2}$

17) $y \times 4 = 12$ $\underline{y = 3}$ 　18) $y \times 2 = 10$ $\underline{y = 5}$ 　19) $7 \times y = 42$ $\underline{y = 6}$ 　20) $9 \times y = 45$ $\underline{y = 5}$

21) $3 \times y = 15$ $\underline{y = 5}$ 　22) $y \times 1 = 2$ $\underline{y = 2}$ 　23) $5 \times y = 35$ $\underline{y = 7}$ 　24) $2 \times y = 8$ $\underline{y = 4}$

25) $5 \times y = 45$ $\underline{y = 9}$ 　26) $y \times 5 = 20$ $\underline{y = 4}$ 　27) $y \times 9 = 36$ $\underline{y = 4}$ 　28) $3 \times y = 12$ $\underline{y = 4}$

29) $4 \times y = 16$ $\underline{y = 4}$ 　30) $y \times 1 = 3$ $\underline{y = 3}$ 　31) $y \times 3 = 18$ $\underline{y = 6}$ 　32) $y \times 8 = 40$ $\underline{y = 5}$

33) $y \times 4 = 36$ $\underline{y = 9}$ 　34) $3 \times y = 21$ $\underline{y = 7}$ 　35) $y \times 9 = 72$ $\underline{y = 8}$ 　36) $8 \times y = 64$ $\underline{y = 8}$

37) $y \times 9 = 27$ $\underline{y = 3}$ 　38) $6 \times y = 36$ $\underline{y = 6}$ 　39) $6 \times y = 54$ $\underline{y = 9}$ 　40) $7 \times y = 56$ $\underline{y = 8}$

41) $y \times 8 = 32$ $\underline{y = 4}$ 　42) $y \times 7 = 21$ $\underline{y = 3}$ 　43) $y \times 8 = 72$ $\underline{y = 9}$ 　44) $4 \times y = 28$ $\underline{y = 7}$

45) $y \times 5 = 30$ $\underline{y = 6}$ 　46) $1 \times y = 5$ $\underline{y = 5}$ 　47) $y \times 3 = 24$ $\underline{y = 8}$ 　48) $5 \times y = 5$ $\underline{y = 1}$

49) $8 \times y = 8$ $\underline{y = 1}$ 　50) $y \times 8 = 56$ $\underline{y = 7}$

M) Solve for the variable.

1) $y \times 2 = 18$ $y = 9$ 2) $y \times 6 = 54$ $y = 9$ 3) $9 \times y = 45$ $y = 5$ 4) $6 \times y = 12$ $y = 2$

5) $y \times 3 = 18$ $y = 6$ 6) $5 \times y = 45$ $y = 9$ 7) $y \times 6 = 24$ $y = 4$ 8) $2 \times y = 4$ $y = 2$

9) $y \times 3 = 15$ $y = 5$ 10) $2 \times y = 16$ $y = 8$ 11) $8 \times y = 24$ $y = 3$ 12) $5 \times y = 25$ $y = 5$

13) $7 \times y = 49$ $y = 7$ 14) $y \times 3 = 9$ $y = 3$ 15) $y \times 5 = 35$ $y = 7$ 16) $y \times 9 = 36$ $y = 4$

17) $y \times 1 = 4$ $y = 4$ 18) $y \times 9 = 54$ $y = 6$ 19) $y \times 3 = 21$ $y = 7$ 20) $y \times 3 = 3$ $y = 1$

21) $6 \times y = 36$ $y = 6$ 22) $y \times 4 = 36$ $y = 9$ 23) $y \times 7 = 7$ $y = 1$ 24) $3 \times y = 12$ $y = 4$

25) $2 \times y = 2$ $y = 1$ 26) $y \times 1 = 1$ $y = 1$ 27) $7 \times y = 56$ $y = 8$ 28) $5 \times y = 15$ $y = 3$

29) $y \times 8 = 16$ $y = 2$ 30) $9 \times y = 63$ $y = 7$ 31) $y \times 1 = 7$ $y = 7$ 32) $y \times 4 = 20$ $y = 5$

33) $8 \times y = 40$ $y = 5$ 34) $y \times 4 = 8$ $y = 2$ 35) $y \times 9 = 72$ $y = 8$ 36) $1 \times y = 2$ $y = 2$

37) $y \times 8 = 32$ $y = 4$ 38) $1 \times y = 6$ $y = 6$ 39) $y \times 5 = 40$ $y = 8$ 40) $2 \times y = 8$ $y = 4$

41) $1 \times y = 3$ $y = 3$ 42) $y \times 8 = 64$ $y = 8$ 43) $4 \times y = 28$ $y = 7$ 44) $y \times 6 = 30$ $y = 5$

45) $y \times 3 = 6$ $y = 2$ 46) $y \times 1 = 9$ $y = 9$ 47) $3 \times y = 27$ $y = 9$ 48) $y \times 1 = 5$ $y = 5$

49) $5 \times y = 5$ $y = 1$ 50) $y \times 4 = 12$ $y = 3$

N) Solve for the variable.

1) $1 \times y = 3$ $y = 3$ 2) $8 \times y = 40$ $y = 5$ 3) $1 \times y = 5$ $y = 5$ 4) $6 \times y = 24$ $y = 4$

5) $9 \times y = 72$ $y = 8$ 6) $y \times 4 = 24$ $y = 6$ 7) $y \times 7 = 63$ $y = 9$ 8) $y \times 5 = 25$ $y = 5$

9) $2 \times y = 6$ $y = 3$ 10) $7 \times y = 49$ $y = 7$ 11) $5 \times y = 15$ $y = 3$ 12) $9 \times y = 9$ $y = 1$

13) $7 \times y = 42$ $y = 6$ 14) $y \times 7 = 28$ $y = 4$ 15) $y \times 2 = 4$ $y = 2$ 16) $y \times 3 = 27$ $y = 9$

17) $y \times 1 = 8$ $y = 8$ 18) $y \times 6 = 42$ $y = 7$ 19) $y \times 6 = 18$ $y = 3$ 20) $y \times 2 = 12$ $y = 6$

21) $2 \times y = 18$ $y = 9$ 22) $5 \times y = 40$ $y = 8$ 23) $5 \times y = 20$ $y = 4$ 24) $y \times 5 = 10$ $y = 2$

25) $9 \times y = 54$ $y = 6$ 26) $8 \times y = 72$ $y = 9$ 27) $y \times 6 = 48$ $y = 8$ 28) $9 \times y = 45$ $y = 5$

29) $y \times 6 = 6$ $y = 1$ 30) $y \times 7 = 21$ $y = 3$ 31) $3 \times y = 15$ $y = 5$ 32) $9 \times y = 27$ $y = 3$

33) $6 \times y = 36$ $y = 6$ 34) $y \times 1 = 6$ $y = 6$ 35) $y \times 1 = 9$ $y = 9$ 36) $6 \times y = 54$ $y = 9$

37) $y \times 1 = 1$ $y = 1$ 38) $y \times 2 = 16$ $y = 8$ 39) $3 \times y = 18$ $y = 6$ 40) $y \times 3 = 6$ $y = 2$

41) $5 \times y = 30$ $y = 6$ 42) $y \times 8 = 32$ $y = 4$ 43) $9 \times y = 63$ $y = 7$ 44) $y \times 3 = 24$ $y = 8$

45) $1 \times y = 4$ $y = 4$ 46) $y \times 4 = 4$ $y = 1$ 47) $4 \times y = 28$ $y = 7$ 48) $4 \times y = 36$ $y = 9$

49) $2 \times y = 14$ $y = 7$ 50) $8 \times y = 48$ $y = 6$

O) Solve for the variable.

1) $y \times 2 = 8$ $\underline{\;y = 4\;}$ 2) $y \times 4 = 20$ $\underline{\;y = 5\;}$ 3) $5 \times y = 20$ $\underline{\;y = 4\;}$ 4) $y \times 9 = 27$ $\underline{\;y = 3\;}$

5) $y \times 5 = 30$ $\underline{\;y = 6\;}$ 6) $4 \times y = 24$ $\underline{\;y = 6\;}$ 7) $7 \times y = 42$ $\underline{\;y = 6\;}$ 8) $4 \times y = 36$ $\underline{\;y = 9\;}$

9) $5 \times y = 10$ $\underline{\;y = 2\;}$ 10) $y \times 8 = 24$ $\underline{\;y = 3\;}$ 11) $2 \times y = 18$ $\underline{\;y = 9\;}$ 12) $y \times 1 = 9$ $\underline{\;y = 9\;}$

13) $4 \times y = 8$ $\underline{\;y = 2\;}$ 14) $4 \times y = 4$ $\underline{\;y = 1\;}$ 15) $y \times 5 = 15$ $\underline{\;y = 3\;}$ 16) $9 \times y = 45$ $\underline{\;y = 5\;}$

17) $6 \times y = 6$ $\underline{\;y = 1\;}$ 18) $y \times 4 = 12$ $\underline{\;y = 3\;}$ 19) $2 \times y = 16$ $\underline{\;y = 8\;}$ 20) $7 \times y = 28$ $\underline{\;y = 4\;}$

21) $y \times 4 = 16$ $\underline{\;y = 4\;}$ 22) $y \times 6 = 42$ $\underline{\;y = 7\;}$ 23) $8 \times y = 32$ $\underline{\;y = 4\;}$ 24) $y \times 8 = 40$ $\underline{\;y = 5\;}$

25) $2 \times y = 14$ $\underline{\;y = 7\;}$ 26) $8 \times y = 16$ $\underline{\;y = 2\;}$ 27) $3 \times y = 24$ $\underline{\;y = 8\;}$ 28) $y \times 2 = 4$ $\underline{\;y = 2\;}$

29) $5 \times y = 45$ $\underline{\;y = 9\;}$ 30) $3 \times y = 9$ $\underline{\;y = 3\;}$ 31) $2 \times y = 12$ $\underline{\;y = 6\;}$ 32) $9 \times y = 36$ $\underline{\;y = 4\;}$

33) $y \times 5 = 25$ $\underline{\;y = 5\;}$ 34) $1 \times y = 4$ $\underline{\;y = 4\;}$ 35) $y \times 3 = 27$ $\underline{\;y = 9\;}$ 36) $7 \times y = 21$ $\underline{\;y = 3\;}$

37) $y \times 3 = 21$ $\underline{\;y = 7\;}$ 38) $7 \times y = 56$ $\underline{\;y = 8\;}$ 39) $y \times 7 = 49$ $\underline{\;y = 7\;}$ 40) $y \times 8 = 56$ $\underline{\;y = 7\;}$

41) $1 \times y = 6$ $\underline{\;y = 6\;}$ 42) $8 \times y = 48$ $\underline{\;y = 6\;}$ 43) $y \times 5 = 40$ $\underline{\;y = 8\;}$ 44) $9 \times y = 54$ $\underline{\;y = 6\;}$

45) $y \times 3 = 6$ $\underline{\;y = 2\;}$ 46) $8 \times y = 72$ $\underline{\;y = 9\;}$ 47) $y \times 9 = 72$ $\underline{\;y = 8\;}$ 48) $y \times 3 = 15$ $\underline{\;y = 5\;}$

49) $y \times 1 = 7$ $\underline{\;y = 7\;}$ 50) $5 \times y = 5$ $\underline{\;y = 1\;}$

P) Solve for the variable.

1) $6 \div y = 2$ _y = 3_ 2) $y \div 6 = 1$ _y = 6_ 3) $y \div 1 = 6$ _y = 6_ 4) $48 \div y = 6$ _y = 8_

5) $21 \div y = 7$ _y = 3_ 6) $y \div 5 = 3$ _y = 15_ 7) $y \div 6 = 3$ _y = 18_ 8) $y \div 1 = 8$ _y = 8_

9) $y \div 4 = 2$ _y = 8_ 10) $y \div 7 = 5$ _y = 35_ 11) $24 \div y = 6$ _y = 4_ 12) $y \div 7 = 6$ _y = 42_

13) $y \div 7 = 9$ _y = 63_ 14) $16 \div y = 8$ _y = 2_ 15) $y \div 3 = 1$ _y = 3_ 16) $y \div 8 = 4$ _y = 32_

17) $y \div 7 = 4$ _y = 28_ 18) $32 \div y = 4$ _y = 8_ 19) $7 \div y = 1$ _y = 7_ 20) $45 \div y = 9$ _y = 5_

21) $y \div 9 = 3$ _y = 27_ 22) $40 \div y = 8$ _y = 5_ 23) $8 \div y = 2$ _y = 4_ 24) $y \div 1 = 2$ _y = 2_

25) $12 \div y = 6$ _y = 2_ 26) $y \div 9 = 2$ _y = 18_ 27) $y \div 4 = 3$ _y = 12_ 28) $21 \div y = 3$ _y = 7_

29) $4 \div y = 4$ _y = 1_ 30) $54 \div y = 9$ _y = 6_ 31) $30 \div y = 5$ _y = 6_ 32) $y \div 2 = 7$ _y = 14_

33) $y \div 2 = 9$ _y = 18_ 34) $24 \div y = 8$ _y = 3_ 35) $7 \div y = 7$ _y = 1_ 36) $y \div 6 = 6$ _y = 36_

37) $y \div 5 = 5$ _y = 25_ 38) $y \div 2 = 8$ _y = 16_ 39) $y \div 7 = 2$ _y = 14_ 40) $5 \div y = 5$ _y = 1_

41) $30 \div y = 6$ _y = 5_ 42) $y \div 9 = 9$ _y = 81_ 43) $72 \div y = 8$ _y = 9_ 44) $24 \div y = 4$ _y = 6_

45) $y \div 9 = 7$ _y = 63_ 46) $8 \div y = 8$ _y = 1_ 47) $y \div 6 = 7$ _y = 42_ 48) $18 \div y = 3$ _y = 6_

49) $20 \div y = 4$ _y = 5_ 50) $3 \div y = 1$ _y = 3_

Q) Solve for the variable.

1) $y \div 1 = 3$ $y = 3$

2) $y \div 4 = 4$ $y = 16$

3) $y \div 3 = 8$ $y = 24$

4) $49 \div y = 7$ $y = 7$

5) $54 \div y = 6$ $y = 9$

6) $y \div 3 = 5$ $y = 15$

7) $40 \div y = 8$ $y = 5$

8) $y \div 3 = 3$ $y = 9$

9) $y \div 2 = 2$ $y = 4$

10) $35 \div y = 7$ $y = 5$

11) $y \div 2 = 4$ $y = 8$

12) $30 \div y = 5$ $y = 6$

13) $1 \div y = 1$ $y = 1$

14) $y \div 3 = 2$ $y = 6$

15) $21 \div y = 7$ $y = 3$

16) $y \div 2 = 3$ $y = 6$

17) $y \div 2 = 5$ $y = 10$

18) $y \div 2 = 7$ $y = 14$

19) $y \div 9 = 2$ $y = 18$

20) $y \div 1 = 2$ $y = 2$

21) $y \div 4 = 2$ $y = 8$

22) $y \div 9 = 7$ $y = 63$

23) $y \div 8 = 1$ $y = 8$

24) $y \div 7 = 2$ $y = 14$

25) $2 \div y = 2$ $y = 1$

26) $y \div 5 = 4$ $y = 20$

27) $24 \div y = 8$ $y = 3$

28) $y \div 5 = 9$ $y = 45$

29) $25 \div y = 5$ $y = 5$

30) $y \div 8 = 6$ $y = 48$

31) $y \div 8 = 9$ $y = 72$

32) $y \div 2 = 9$ $y = 18$

33) $y \div 6 = 6$ $y = 36$

34) $y \div 5 = 8$ $y = 40$

35) $y \div 7 = 1$ $y = 7$

36) $35 \div y = 5$ $y = 7$

37) $y \div 9 = 9$ $y = 81$

38) $4 \div y = 1$ $y = 4$

39) $4 \div y = 4$ $y = 1$

40) $y \div 1 = 5$ $y = 5$

41) $y \div 3 = 9$ $y = 27$

42) $y \div 8 = 4$ $y = 32$

43) $y \div 6 = 8$ $y = 48$

44) $27 \div y = 9$ $y = 3$

45) $12 \div y = 3$ $y = 4$

46) $y \div 3 = 1$ $y = 3$

47) $12 \div y = 4$ $y = 3$

48) $y \div 8 = 2$ $y = 16$

49) $9 \div y = 9$ $y = 1$

50) $15 \div y = 5$ $y = 3$

R) Solve for the variable.

1) $20 \div y = 5$ $y = 4$ 2) $18 \div y = 3$ $y = 6$ 3) $54 \div y = 6$ $y = 9$ 4) $21 \div y = 7$ $y = 3$

5) $y \div 8 = 6$ $y = 48$ 6) $y \div 1 = 1$ $y = 1$ 7) $36 \div y = 4$ $y = 9$ 8) $y \div 5 = 3$ $y = 15$

9) $12 \div y = 6$ $y = 2$ 10) $5 \div y = 1$ $y = 5$ 11) $y \div 8 = 4$ $y = 32$ 12) $y \div 9 = 3$ $y = 27$

13) $y \div 5 = 7$ $y = 35$ 14) $y \div 2 = 4$ $y = 8$ 15) $y \div 1 = 9$ $y = 9$ 16) $4 \div y = 1$ $y = 4$

17) $16 \div y = 2$ $y = 8$ 18) $20 \div y = 4$ $y = 5$ 19) $y \div 6 = 1$ $y = 6$ 20) $y \div 9 = 5$ $y = 45$

21) $y \div 5 = 1$ $y = 5$ 22) $12 \div y = 3$ $y = 4$ 23) $18 \div y = 2$ $y = 9$ 24) $36 \div y = 9$ $y = 4$

25) $32 \div y = 4$ $y = 8$ 26) $y \div 8 = 5$ $y = 40$ 27) $24 \div y = 3$ $y = 8$ 28) $y \div 5 = 6$ $y = 30$

29) $y \div 7 = 5$ $y = 35$ 30) $14 \div y = 2$ $y = 7$ 31) $y \div 8 = 8$ $y = 64$ 32) $y \div 1 = 6$ $y = 6$

33) $y \div 9 = 8$ $y = 72$ 34) $8 \div y = 1$ $y = 8$ 35) $45 \div y = 5$ $y = 9$ 36) $y \div 3 = 9$ $y = 27$

37) $7 \div y = 7$ $y = 1$ 38) $36 \div y = 6$ $y = 6$ 39) $49 \div y = 7$ $y = 7$ 40) $y \div 3 = 7$ $y = 21$

41) $10 \div y = 2$ $y = 5$ 42) $y \div 4 = 2$ $y = 8$ 43) $12 \div y = 2$ $y = 6$ 44) $6 \div y = 2$ $y = 3$

45) $y \div 2 = 2$ $y = 4$ 46) $12 \div y = 4$ $y = 3$ 47) $63 \div y = 9$ $y = 7$ 48) $y \div 7 = 8$ $y = 56$

49) $y \div 4 = 4$ $y = 16$ 50) $28 \div y = 4$ $y = 7$

S) Solve for the variable.

1) $y \div 3 = 2$ $\underline{y = 6}$
2) $9 \div y = 9$ $\underline{y = 1}$
3) $y \div 4 = 1$ $\underline{y = 4}$
4) $7 \div y = 7$ $\underline{y = 1}$

5) $20 \div y = 5$ $\underline{y = 4}$
6) $14 \div y = 2$ $\underline{y = 7}$
7) $y \div 3 = 4$ $\underline{y = 12}$
8) $30 \div y = 6$ $\underline{y = 5}$

9) $15 \div y = 5$ $\underline{y = 3}$
10) $y \div 6 = 8$ $\underline{y = 48}$
11) $y \div 4 = 3$ $\underline{y = 12}$
12) $18 \div y = 3$ $\underline{y = 6}$

13) $21 \div y = 7$ $\underline{y = 3}$
14) $12 \div y = 2$ $\underline{y = 6}$
15) $y \div 8 = 7$ $\underline{y = 56}$
16) $y \div 9 = 4$ $\underline{y = 36}$

17) $y \div 1 = 4$ $\underline{y = 4}$
18) $2 \div y = 1$ $\underline{y = 2}$
19) $18 \div y = 6$ $\underline{y = 3}$
20) $y \div 9 = 2$ $\underline{y = 18}$

21) $y \div 4 = 4$ $\underline{y = 16}$
22) $y \div 8 = 3$ $\underline{y = 24}$
23) $6 \div y = 6$ $\underline{y = 1}$
24) $27 \div y = 9$ $\underline{y = 3}$

25) $y \div 4 = 8$ $\underline{y = 32}$
26) $72 \div y = 9$ $\underline{y = 8}$
27) $12 \div y = 6$ $\underline{y = 2}$
28) $8 \div y = 4$ $\underline{y = 2}$

29) $36 \div y = 6$ $\underline{y = 6}$
30) $63 \div y = 7$ $\underline{y = 9}$
31) $16 \div y = 8$ $\underline{y = 2}$
32) $48 \div y = 8$ $\underline{y = 6}$

33) $y \div 7 = 7$ $\underline{y = 49}$
34) $54 \div y = 6$ $\underline{y = 9}$
35) $y \div 5 = 8$ $\underline{y = 40}$
36) $y \div 5 = 9$ $\underline{y = 45}$

37) $28 \div y = 7$ $\underline{y = 4}$
38) $y \div 2 = 3$ $\underline{y = 6}$
39) $32 \div y = 8$ $\underline{y = 4}$
40) $9 \div y = 1$ $\underline{y = 9}$

41) $y \div 2 = 2$ $\underline{y = 4}$
42) $1 \div y = 1$ $\underline{y = 1}$
43) $3 \div y = 1$ $\underline{y = 3}$
44) $y \div 2 = 9$ $\underline{y = 18}$

45) $y \div 6 = 4$ $\underline{y = 24}$
46) $y \div 4 = 5$ $\underline{y = 20}$
47) $15 \div y = 3$ $\underline{y = 5}$
48) $6 \div y = 1$ $\underline{y = 6}$

49) $y \div 5 = 7$ $\underline{y = 35}$
50) $10 \div y = 2$ $\underline{y = 5}$

T) Solve for the variable.

1) $54 \div y = 6$ $y = 9$ 2) $36 \div y = 6$ $y = 6$ 3) $y \div 5 = 6$ $y = 30$ 4) $y \div 5 = 4$ $y = 20$

5) $y \div 3 = 6$ $y = 18$ 6) $y \div 2 = 8$ $y = 16$ 7) $y \div 7 = 1$ $y = 7$ 8) $12 \div y = 3$ $y = 4$

9) $y \div 4 = 1$ $y = 4$ 10) $y \div 8 = 6$ $y = 48$ 11) $y \div 2 = 9$ $y = 18$ 12) $y \div 6 = 1$ $y = 6$

13) $y \div 4 = 6$ $y = 24$ 14) $y \div 3 = 9$ $y = 27$ 15) $42 \div y = 6$ $y = 7$ 16) $y \div 6 = 2$ $y = 12$

17) $y \div 7 = 8$ $y = 56$ 18) $1 \div y = 1$ $y = 1$ 19) $40 \div y = 8$ $y = 5$ 20) $4 \div y = 1$ $y = 4$

21) $y \div 2 = 5$ $y = 10$ 22) $y \div 2 = 3$ $y = 6$ 23) $y \div 7 = 5$ $y = 35$ 24) $56 \div y = 8$ $y = 7$

25) $y \div 9 = 9$ $y = 81$ 26) $y \div 1 = 8$ $y = 8$ 27) $14 \div y = 2$ $y = 7$ 28) $y \div 3 = 3$ $y = 9$

29) $y \div 7 = 3$ $y = 21$ 30) $y \div 2 = 1$ $y = 2$ 31) $y \div 1 = 2$ $y = 2$ 32) $3 \div y = 1$ $y = 3$

33) $y \div 4 = 5$ $y = 20$ 34) $18 \div y = 9$ $y = 2$ 35) $49 \div y = 7$ $y = 7$ 36) $9 \div y = 9$ $y = 1$

37) $y \div 6 = 3$ $y = 18$ 38) $y \div 5 = 1$ $y = 5$ 39) $y \div 6 = 5$ $y = 30$ 40) $28 \div y = 7$ $y = 4$

41) $y \div 9 = 3$ $y = 27$ 42) $y \div 4 = 2$ $y = 8$ 43) $14 \div y = 7$ $y = 2$ 44) $5 \div y = 1$ $y = 5$

45) $y \div 4 = 9$ $y = 36$ 46) $7 \div y = 1$ $y = 7$ 47) $6 \div y = 1$ $y = 6$ 48) $y \div 6 = 4$ $y = 24$

49) $3 \div y = 3$ $y = 1$ 50) $y \div 8 = 8$ $y = 64$

U) Solve for the variable.

1) $4 + 9y = 22$ $\underline{y = 2}$ 2) $2 + 3y = 11$ $\underline{y = 3}$ 3) $9 + 9y = 72$ $\underline{y = 7}$ 4) $8 + 1y = 15$ $\underline{y = 7}$

5) $2y + 3 = 21$ $\underline{y = 9}$ 6) $6 + 4y = 26$ $\underline{y = 5}$ 7) $2y + 1 = 9$ $\underline{y = 4}$ 8) $9 + 6y = 21$ $\underline{y = 2}$

9) $9y + 4 = 13$ $\underline{y = 1}$ 10) $2 + 5y = 42$ $\underline{y = 8}$ 11) $5y + 9 = 24$ $\underline{y = 3}$ 12) $5 + 8y = 37$ $\underline{y = 4}$

13) $3y + 5 = 29$ $\underline{y = 8}$ 14) $4y + 1 = 13$ $\underline{y = 3}$ 15) $3y + 4 = 28$ $\underline{y = 8}$ 16) $2 + 8y = 58$ $\underline{y = 7}$

17) $9y + 9 = 18$ $\underline{y = 1}$ 18) $3y + 1 = 22$ $\underline{y = 7}$ 19) $8 + 5y = 53$ $\underline{y = 9}$ 20) $6y + 1 = 31$ $\underline{y = 5}$

21) $4 + 3y = 19$ $\underline{y = 5}$ 22) $1 + 2y = 17$ $\underline{y = 8}$ 23) $5 + 9y = 68$ $\underline{y = 7}$ 24) $8 + 8y = 48$ $\underline{y = 5}$

25) $9y + 4 = 40$ $\underline{y = 4}$ 26) $9y + 7 = 52$ $\underline{y = 5}$ 27) $7y + 2 = 9$ $\underline{y = 1}$ 28) $3y + 3 = 6$ $\underline{y = 1}$

29) $5 + 7y = 19$ $\underline{y = 2}$ 30) $6 + 4y = 18$ $\underline{y = 3}$ 31) $9 + 3y = 21$ $\underline{y = 4}$ 32) $6y + 3 = 15$ $\underline{y = 2}$

33) $6 + 3y = 30$ $\underline{y = 8}$ 34) $3y + 2 = 20$ $\underline{y = 6}$ 35) $5y + 7 = 27$ $\underline{y = 4}$ 36) $1y + 8 = 12$ $\underline{y = 4}$

37) $3 + 1y = 10$ $\underline{y = 7}$ 38) $9 + 2y = 21$ $\underline{y = 6}$ 39) $7 + 9y = 16$ $\underline{y = 1}$ 40) $1 + 3y = 4$ $\underline{y = 1}$

41) $6y + 3 = 33$ $\underline{y = 5}$ 42) $9y + 2 = 38$ $\underline{y = 4}$ 43) $8y + 8 = 24$ $\underline{y = 2}$ 44) $9y + 7 = 88$ $\underline{y = 9}$

45) $1y + 6 = 8$ $\underline{y = 2}$ 46) $5 + 7y = 40$ $\underline{y = 5}$ 47) $6y + 7 = 25$ $\underline{y = 3}$ 48) $4y + 4 = 32$ $\underline{y = 7}$

49) $8y + 5 = 13$ $\underline{y = 1}$ 50) $9 + 2y = 27$ $\underline{y = 9}$

V) Solve for the variable.

1) $9 + 4y = 25$ $y = 4$ 2) $3 + 1y = 8$ $y = 5$ 3) $8 + 3y = 14$ $y = 2$ 4) $1 + 6y = 49$ $y = 8$

5) $6 + 6y = 48$ $y = 7$ 6) $7y + 7 = 21$ $y = 2$ 7) $7 + 3y = 19$ $y = 4$ 8) $2 + 6y = 32$ $y = 5$

9) $7 + 1y = 15$ $y = 8$ 10) $3 + 1y = 4$ $y = 1$ 11) $3y + 3 = 24$ $y = 7$ 12) $3y + 2 = 11$ $y = 3$

13) $9y + 4 = 22$ $y = 2$ 14) $7 + 3y = 25$ $y = 6$ 15) $9y + 3 = 75$ $y = 8$ 16) $6y + 5 = 29$ $y = 4$

17) $7 + 6y = 13$ $y = 1$ 18) $6y + 6 = 12$ $y = 1$ 19) $1y + 8 = 16$ $y = 8$ 20) $1 + 8y = 57$ $y = 7$

21) $1y + 5 = 14$ $y = 9$ 22) $3y + 5 = 11$ $y = 2$ 23) $1 + 9y = 10$ $y = 1$ 24) $7y + 1 = 64$ $y = 9$

25) $8y + 4 = 44$ $y = 5$ 26) $8 + 2y = 14$ $y = 3$ 27) $5 + 8y = 29$ $y = 3$ 28) $5y + 1 = 26$ $y = 5$

29) $8 + 2y = 16$ $y = 4$ 30) $4y + 2 = 34$ $y = 8$ 31) $4y + 2 = 38$ $y = 9$ 32) $3 + 4y = 39$ $y = 9$

33) $7y + 5 = 47$ $y = 6$ 34) $9y + 3 = 57$ $y = 6$ 35) $8y + 8 = 56$ $y = 6$ 36) $1y + 6 = 11$ $y = 5$

37) $6 + 3y = 15$ $y = 3$ 38) $4y + 4 = 36$ $y = 8$ 39) $8y + 9 = 49$ $y = 5$ 40) $2y + 2 = 14$ $y = 6$

41) $6 + 3y = 18$ $y = 4$ 42) $7 + 5y = 22$ $y = 3$ 43) $3y + 1 = 7$ $y = 2$ 44) $7 + 1y = 12$ $y = 5$

45) $9y + 2 = 11$ $y = 1$ 46) $5y + 3 = 13$ $y = 2$ 47) $2 + 8y = 58$ $y = 7$ 48) $2y + 9 = 15$ $y = 3$

49) $5y + 6 = 46$ $y = 8$ 50) $5y + 6 = 36$ $y = 6$

W) Solve for the variable.

1) 6y + 9 = 63 $\underline{y = 9}$ 2) 7y + 5 = 40 $\underline{y = 5}$ 3) 2y + 9 = 11 $\underline{y = 1}$ 4) 2y + 6 = 22 $\underline{y = 8}$

5) 8y + 4 = 52 $\underline{y = 6}$ 6) 8y + 6 = 78 $\underline{y = 9}$ 7) 5 + 3y = 8 $\underline{y = 1}$ 8) 9y + 7 = 61 $\underline{y = 6}$

9) 5 + 9y = 59 $\underline{y = 6}$ 10) 5y + 1 = 11 $\underline{y = 2}$ 11) 5y + 5 = 25 $\underline{y = 4}$ 12) 6y + 2 = 32 $\underline{y = 5}$

13) 8y + 1 = 49 $\underline{y = 6}$ 14) 2y + 3 = 19 $\underline{y = 8}$ 15) 1y + 2 = 5 $\underline{y = 3}$ 16) 9y + 9 = 63 $\underline{y = 6}$

17) 8y + 2 = 34 $\underline{y = 4}$ 18) 4y + 4 = 36 $\underline{y = 8}$ 19) 6 + 9y = 60 $\underline{y = 6}$ 20) 8y + 8 = 64 $\underline{y = 7}$

21) 1 + 4y = 33 $\underline{y = 8}$ 22) 4 + 1y = 5 $\underline{y = 1}$ 23) 2 + 8y = 18 $\underline{y = 2}$ 24) 7y + 8 = 36 $\underline{y = 4}$

25) 6y + 6 = 24 $\underline{y = 3}$ 26) 3 + 8y = 11 $\underline{y = 1}$ 27) 5y + 9 = 34 $\underline{y = 5}$ 28) 5 + 9y = 86 $\underline{y = 9}$

29) 2 + 9y = 56 $\underline{y = 6}$ 30) 3 + 1y = 5 $\underline{y = 2}$ 31) 1 + 8y = 73 $\underline{y = 9}$ 32) 3 + 8y = 35 $\underline{y = 4}$

33) 9y + 7 = 34 $\underline{y = 3}$ 34) 1 + 9y = 28 $\underline{y = 3}$ 35) 8y + 5 = 29 $\underline{y = 3}$ 36) 9y + 5 = 68 $\underline{y = 7}$

37) 4 + 5y = 24 $\underline{y = 4}$ 38) 3 + 6y = 57 $\underline{y = 9}$ 39) 1 + 1y = 8 $\underline{y = 7}$ 40) 6 + 6y = 30 $\underline{y = 4}$

41) 3y + 9 = 21 $\underline{y = 4}$ 42) 2y + 8 = 20 $\underline{y = 6}$ 43) 8y + 8 = 24 $\underline{y = 2}$ 44) 4y + 8 = 12 $\underline{y = 1}$

45) 9 + 6y = 51 $\underline{y = 7}$ 46) 8y + 5 = 69 $\underline{y = 8}$ 47) 9y + 3 = 48 $\underline{y = 5}$ 48) 5 + 3y = 11 $\underline{y = 2}$

49) 3y + 6 = 9 $\underline{y = 1}$ 50) 2 + 3y = 26 $\underline{y = 8}$

X) Solve for the variable.

1) $9 + 7y = 51$ $\underline{y = 6}$ 2) $6 + 4y = 34$ $\underline{y = 7}$ 3) $3y + 3 = 27$ $\underline{y = 8}$ 4) $7 + 8y = 23$ $\underline{y = 2}$

5) $6y + 4 = 40$ $\underline{y = 6}$ 6) $6y + 7 = 25$ $\underline{y = 3}$ 7) $6y + 3 = 57$ $\underline{y = 9}$ 8) $6y + 2 = 26$ $\underline{y = 4}$

9) $1 + 7y = 43$ $\underline{y = 6}$ 10) $3 + 8y = 11$ $\underline{y = 1}$ 11) $8 + 4y = 44$ $\underline{y = 9}$ 12) $6y + 6 = 18$ $\underline{y = 2}$

13) $1y + 2 = 3$ $\underline{y = 1}$ 14) $4 + 8y = 20$ $\underline{y = 2}$ 15) $7y + 9 = 44$ $\underline{y = 5}$ 16) $1 + 1y = 9$ $\underline{y = 8}$

17) $8y + 5 = 61$ $\underline{y = 7}$ 18) $7 + 4y = 11$ $\underline{y = 1}$ 19) $5y + 4 = 24$ $\underline{y = 4}$ 20) $1y + 8 = 12$ $\underline{y = 4}$

21) $6 + 3y = 21$ $\underline{y = 5}$ 22) $5y + 2 = 37$ $\underline{y = 7}$ 23) $5y + 8 = 38$ $\underline{y = 6}$ 24) $5 + 5y = 50$ $\underline{y = 9}$

25) $4y + 9 = 37$ $\underline{y = 7}$ 26) $5 + 9y = 14$ $\underline{y = 1}$ 27) $8y + 6 = 38$ $\underline{y = 4}$ 28) $4 + 5y = 19$ $\underline{y = 3}$

29) $9y + 6 = 87$ $\underline{y = 9}$ 30) $8 + 3y = 14$ $\underline{y = 2}$ 31) $4y + 9 = 21$ $\underline{y = 3}$ 32) $7y + 7 = 63$ $\underline{y = 8}$

33) $2y + 3 = 11$ $\underline{y = 4}$ 34) $4y + 5 = 29$ $\underline{y = 6}$ 35) $1 + 1y = 4$ $\underline{y = 3}$ 36) $9 + 5y = 54$ $\underline{y = 9}$

37) $8y + 1 = 57$ $\underline{y = 7}$ 38) $4y + 4 = 40$ $\underline{y = 9}$ 39) $8y + 4 = 12$ $\underline{y = 1}$ 40) $1y + 3 = 6$ $\underline{y = 3}$

41) $7y + 8 = 15$ $\underline{y = 1}$ 42) $1y + 2 = 8$ $\underline{y = 6}$ 43) $1 + 6y = 31$ $\underline{y = 5}$ 44) $7 + 2y = 15$ $\underline{y = 4}$

45) $6 + 1y = 12$ $\underline{y = 6}$ 46) $2 + 7y = 23$ $\underline{y = 3}$ 47) $4 + 3y = 19$ $\underline{y = 5}$ 48) $3 + 5y = 38$ $\underline{y = 7}$

49) $2y + 7 = 17$ $\underline{y = 5}$ 50) $6 + 6y = 12$ $\underline{y = 1}$

Y) Solve for the variable.

1) $3y + 4 = 13$ $\underline{y = 3}$ 2) $9 + 7y = 30$ $\underline{y = 3}$ 3) $2 + 3y = 17$ $\underline{y = 5}$ 4) $8y + 5 = 69$ $\underline{y = 8}$

5) $3 + 7y = 10$ $\underline{y = 1}$ 6) $6 + 2y = 16$ $\underline{y = 5}$ 7) $1y + 9 = 18$ $\underline{y = 9}$ 8) $7y + 7 = 63$ $\underline{y = 8}$

9) $4 + 1y = 6$ $\underline{y = 2}$ 10) $7 + 8y = 39$ $\underline{y = 4}$ 11) $5 + 2y = 15$ $\underline{y = 5}$ 12) $9y + 5 = 86$ $\underline{y = 9}$

13) $7y + 1 = 43$ $\underline{y = 6}$ 14) $3y + 6 = 9$ $\underline{y = 1}$ 15) $1 + 2y = 17$ $\underline{y = 8}$ 16) $2 + 1y = 6$ $\underline{y = 4}$

17) $7 + 3y = 34$ $\underline{y = 9}$ 18) $1y + 7 = 8$ $\underline{y = 1}$ 19) $4 + 9y = 13$ $\underline{y = 1}$ 20) $3y + 9 = 24$ $\underline{y = 5}$

21) $2 + 7y = 51$ $\underline{y = 7}$ 22) $8 + 6y = 20$ $\underline{y = 2}$ 23) $2y + 3 = 19$ $\underline{y = 8}$ 24) $4y + 4 = 32$ $\underline{y = 7}$

25) $7y + 6 = 48$ $\underline{y = 6}$ 26) $8y + 6 = 70$ $\underline{y = 8}$ 27) $6y + 2 = 14$ $\underline{y = 2}$ 28) $9 + 1y = 10$ $\underline{y = 1}$

29) $1 + 3y = 28$ $\underline{y = 9}$ 30) $5y + 2 = 47$ $\underline{y = 9}$ 31) $5 + 6y = 17$ $\underline{y = 2}$ 32) $3 + 7y = 52$ $\underline{y = 7}$

33) $7 + 6y = 25$ $\underline{y = 3}$ 34) $9y + 7 = 52$ $\underline{y = 5}$ 35) $5 + 4y = 21$ $\underline{y = 4}$ 36) $4 + 3y = 31$ $\underline{y = 9}$

37) $8y + 7 = 63$ $\underline{y = 7}$ 38) $1y + 3 = 12$ $\underline{y = 9}$ 39) $1y + 8 = 15$ $\underline{y = 7}$ 40) $3y + 1 = 22$ $\underline{y = 7}$

41) $3y + 5 = 23$ $\underline{y = 6}$ 42) $4 + 4y = 20$ $\underline{y = 4}$ 43) $6 + 2y = 10$ $\underline{y = 2}$ 44) $8y + 4 = 52$ $\underline{y = 6}$

45) $5y + 8 = 53$ $\underline{y = 9}$ 46) $5 + 1y = 8$ $\underline{y = 3}$ 47) $2y + 8 = 18$ $\underline{y = 5}$ 48) $8 + 5y = 48$ $\underline{y = 8}$

49) $8y + 9 = 25$ $\underline{y = 2}$ 50) $5y + 9 = 29$ $\underline{y = 4}$

Z) Solve for the variable.

1) $8y - 2 = 62$ $y = 8$ 2) $48 - 5y = 3$ $y = 9$ 3) $9 - 1y = 7$ $y = 2$ 4) $24 - 8y = 8$ $y = 2$

5) $6y - 4 = 26$ $y = 5$ 6) $2y - 9 = 3$ $y = 6$ 7) $8y - 9 = 7$ $y = 2$ 8) $7 - 6y = 1$ $y = 1$

9) $4y - 9 = 11$ $y = 5$ 10) $4y - 5 = 23$ $y = 7$ 11) $4y - 5 = 19$ $y = 6$ 12) $6 - 3y = 3$ $y = 1$

13) $29 - 4y = 1$ $y = 7$ 14) $12 - 3y = 0$ $y = 4$ 15) $43 - 5y = 3$ $y = 8$ 16) $4y - 7 = 21$ $y = 7$

17) $32 - 9y = 5$ $y = 3$ 18) $8y - 2 = 14$ $y = 2$ 19) $17 - 3y = 2$ $y = 5$ 20) $56 - 6y = 2$ $y = 9$

21) $13 - 2y = 9$ $y = 2$ 22) $13 - 1y = 9$ $y = 4$ 23) $6y - 1 = 35$ $y = 6$ 24) $44 - 5y = 9$ $y = 7$

25) $1y - 4 = 5$ $y = 9$ 26) $11 - 2y = 1$ $y = 5$ 27) $16 - 2y = 4$ $y = 6$ 28) $8 - 5y = 3$ $y = 1$

29) $11 - 5y = 6$ $y = 1$ 30) $25 - 2y = 9$ $y = 8$ 31) $32 - 5y = 2$ $y = 6$ 32) $33 - 9y = 6$ $y = 3$

33) $6y - 9 = 45$ $y = 9$ 34) $2y - 6 = 4$ $y = 5$ 35) $61 - 7y = 5$ $y = 8$ 36) $31 - 9y = 4$ $y = 3$

37) $33 - 4y = 9$ $y = 6$ 38) $24 - 2y = 8$ $y = 8$ 39) $3y - 3 = 0$ $y = 1$ 40) $8y - 5 = 3$ $y = 1$

41) $4y - 5 = 11$ $y = 4$ 42) $4y - 6 = 22$ $y = 7$ 43) $26 - 7y = 5$ $y = 3$ 44) $5y - 4 = 26$ $y = 6$

45) $8y - 8 = 56$ $y = 8$ 46) $12 - 8y = 4$ $y = 1$ 47) $3y - 8 = 13$ $y = 7$ 48) $17 - 4y = 1$ $y = 4$

49) $5 - 1y = 3$ $y = 2$ 50) $29 - 6y = 5$ $y = 4$

AA) Solve for the variable.

1) 9y - 2 = 70 $y = 8$

2) 3y - 2 = 7 $y = 3$

3) 24 - 6y = 6 $y = 3$

4) 52 - 8y = 4 $y = 6$

5) 21 - 7y = 7 $y = 2$

6) 72 - 9y = 9 $y = 7$

7) 2y - 9 = 5 $y = 7$

8) 83 - 9y = 2 $y = 9$

9) 9y - 5 = 22 $y = 3$

10) 3y - 3 = 12 $y = 5$

11) 12 - 1y = 8 $y = 4$

12) 5y - 1 = 24 $y = 5$

13) 39 - 4y = 3 $y = 9$

14) 7y - 7 = 35 $y = 6$

15) 28 - 6y = 4 $y = 4$

16) 2y - 3 = 9 $y = 6$

17) 4y - 7 = 1 $y = 2$

18) 19 - 5y = 4 $y = 3$

19) 26 - 5y = 1 $y = 5$

20) 4y - 5 = 31 $y = 9$

21) 36 - 8y = 4 $y = 4$

22) 2y - 9 = 7 $y = 8$

23) 25 - 2y = 9 $y = 8$

24) 3y - 1 = 17 $y = 6$

25) 52 - 5y = 7 $y = 9$

26) 3y - 4 = 23 $y = 9$

27) 67 - 8y = 3 $y = 8$

28) 7y - 7 = 56 $y = 9$

29) 45 - 9y = 0 $y = 5$

30) 4y - 5 = 23 $y = 7$

31) 12 - 5y = 7 $y = 1$

32) 12 - 3y = 6 $y = 2$

33) 73 - 9y = 1 $y = 8$

34) 29 - 7y = 1 $y = 4$

35) 8y - 9 = 39 $y = 6$

36) 5y - 3 = 2 $y = 1$

37) 4y - 3 = 25 $y = 7$

38) 16 - 8y = 8 $y = 1$

39) 5y - 2 = 23 $y = 5$

40) 21 - 5y = 6 $y = 3$

41) 9y - 8 = 1 $y = 1$

42) 13 - 4y = 5 $y = 2$

43) 7y - 5 = 23 $y = 4$

44) 4y - 5 = 3 $y = 2$

45) 5y - 6 = 34 $y = 8$

46) 6 - 1y = 3 $y = 3$

47) 16 - 1y = 7 $y = 9$

48) 7y - 8 = 6 $y = 2$

49) 9y - 7 = 56 $y = 7$

50) 4 - 2y = 2 $y = 1$

BB) Solve for the variable.

1) 2y - 3 = 1 $\underline{y = 2}$

2) 8 - 1y = 5 $\underline{y = 3}$

3) 9 - 2y = 7 $\underline{y = 1}$

4) 55 - 8y = 7 $\underline{y = 6}$

5) 2y - 9 = 5 $\underline{y = 7}$

6) 6y - 3 = 33 $\underline{y = 6}$

7) 4 - 1y = 2 $\underline{y = 2}$

8) 4y - 8 = 20 $\underline{y = 7}$

9) 6y - 2 = 16 $\underline{y = 3}$

10) 17 - 5y = 2 $\underline{y = 3}$

11) 4y - 1 = 11 $\underline{y = 3}$

12) 8y - 2 = 70 $\underline{y = 9}$

13) 41 - 6y = 5 $\underline{y = 6}$

14) 3y - 4 = 8 $\underline{y = 4}$

15) 15 - 1y = 6 $\underline{y = 9}$

16) 42 - 9y = 6 $\underline{y = 4}$

17) 17 - 3y = 2 $\underline{y = 5}$

18) 11 - 8y = 3 $\underline{y = 1}$

19) 2y - 3 = 13 $\underline{y = 8}$

20) 6y - 4 = 38 $\underline{y = 7}$

21) 4y - 1 = 7 $\underline{y = 2}$

22) 3y - 9 = 18 $\underline{y = 9}$

23) 2y - 3 = 15 $\underline{y = 9}$

24) 13 - 6y = 1 $\underline{y = 2}$

25) 27 - 4y = 3 $\underline{y = 6}$

26) 18 - 9y = 9 $\underline{y = 1}$

27) 17 - 2y = 3 $\underline{y = 7}$

28) 8 - 4y = 0 $\underline{y = 2}$

29) 62 - 7y = 6 $\underline{y = 8}$

30) 15 - 6y = 3 $\underline{y = 2}$

31) 14 - 2y = 8 $\underline{y = 3}$

32) 25 - 4y = 9 $\underline{y = 4}$

33) 9 - 1y = 4 $\underline{y = 5}$

34) 6y - 5 = 37 $\underline{y = 7}$

35) 17 - 3y = 5 $\underline{y = 4}$

36) 4y - 5 = 27 $\underline{y = 8}$

37) 7y - 8 = 55 $\underline{y = 9}$

38) 4y - 6 = 2 $\underline{y = 2}$

39) 16 - 2y = 6 $\underline{y = 5}$

40) 31 - 3y = 4 $\underline{y = 9}$

41) 27 - 3y = 3 $\underline{y = 8}$

42) 19 - 8y = 3 $\underline{y = 2}$

43) 16 - 2y = 4 $\underline{y = 6}$

44) 46 - 5y = 1 $\underline{y = 9}$

45) 49 - 6y = 1 $\underline{y = 8}$

46) 5y - 2 = 3 $\underline{y = 1}$

47) 2y - 4 = 14 $\underline{y = 9}$

48) 1y - 2 = 0 $\underline{y = 2}$

49) 9y - 9 = 27 $\underline{y = 4}$

50) 42 - 6y = 0 $\underline{y = 7}$

CC) Solve for the variable.

1) 2y - 1 = 13 $\underline{y = 7}$ 2) 46 - 7y = 4 $\underline{y = 6}$ 3) 72 - 8y = 8 $\underline{y = 8}$ 4) 12 - 1y = 7 $\underline{y = 5}$

5) 5y - 8 = 22 $\underline{y = 6}$ 6) 7y - 7 = 49 $\underline{y = 8}$ 7) 3y - 9 = 0 $\underline{y = 3}$ 8) 8y - 5 = 19 $\underline{y = 3}$

9) 17 - 9y = 8 $\underline{y = 1}$ 10) 5y - 5 = 20 $\underline{y = 5}$ 11) 56 - 6y = 8 $\underline{y = 8}$ 12) 21 - 9y = 3 $\underline{y = 2}$

13) 23 - 2y = 5 $\underline{y = 9}$ 14) 2y - 8 = 6 $\underline{y = 7}$ 15) 37 - 5y = 7 $\underline{y = 6}$ 16) 7y - 1 = 41 $\underline{y = 6}$

17) 6 - 3y = 0 $\underline{y = 2}$ 18) 13 - 1y = 8 $\underline{y = 5}$ 19) 3y - 1 = 8 $\underline{y = 3}$ 20) 12 - 2y = 8 $\underline{y = 2}$

21) 54 - 9y = 0 $\underline{y = 6}$ 22) 3y - 3 = 18 $\underline{y = 7}$ 23) 1y - 4 = 4 $\underline{y = 8}$ 24) 7y - 6 = 22 $\underline{y = 4}$

25) 76 - 8y = 4 $\underline{y = 9}$ 26) 41 - 9y = 5 $\underline{y = 4}$ 27) 33 - 5y = 3 $\underline{y = 6}$ 28) 75 - 9y = 3 $\underline{y = 8}$

29) 6y - 8 = 40 $\underline{y = 8}$ 30) 27 - 3y = 6 $\underline{y = 7}$ 31) 19 - 2y = 9 $\underline{y = 5}$ 32) 7y - 8 = 6 $\underline{y = 2}$

33) 2y - 4 = 0 $\underline{y = 2}$ 34) 8y - 8 = 24 $\underline{y = 4}$ 35) 51 - 9y = 6 $\underline{y = 5}$ 36) 62 - 6y = 8 $\underline{y = 9}$

37) 22 - 6y = 4 $\underline{y = 3}$ 38) 16 - 1y = 9 $\underline{y = 7}$ 39) 9 - 1y = 1 $\underline{y = 8}$ 40) 34 - 5y = 9 $\underline{y = 5}$

41) 34 - 7y = 6 $\underline{y = 4}$ 42) 3y - 1 = 2 $\underline{y = 1}$ 43) 3y - 7 = 2 $\underline{y = 3}$ 44) 8y - 9 = 39 $\underline{y = 6}$

45) 6y - 5 = 19 $\underline{y = 4}$ 46) 6 - 4y = 2 $\underline{y = 1}$ 47) 2y - 3 = 1 $\underline{y = 2}$ 48) 8y - 2 = 6 $\underline{y = 1}$

49) 17 - 5y = 2 $\underline{y = 3}$ 50) 46 - 9y = 1 $\underline{y = 5}$

DD) Solve for the variable.

1) 9y - 7 = 11 $y = 2$ 2) 53 - 7y = 4 $y = 7$ 3) 9y - 4 = 41 $y = 5$ 4) 7 - 1y = 4 $y = 3$

5) 37 - 4y = 5 $y = 8$ 6) 62 - 9y = 8 $y = 6$ 7) 14 - 6y = 2 $y = 2$ 8) 71 - 8y = 7 $y = 8$

9) 6y - 2 = 52 $y = 9$ 10) 4y - 5 = 3 $y = 2$ 11) 5y - 2 = 13 $y = 3$ 12) 3y - 8 = 13 $y = 7$

13) 9y - 8 = 73 $y = 9$ 14) 9y - 8 = 46 $y = 6$ 15) 35 - 7y = 7 $y = 4$ 16) 3y - 6 = 0 $y = 2$

17) 7y - 2 = 5 $y = 1$ 18) 7y - 6 = 8 $y = 2$ 19) 72 - 8y = 8 $y = 8$ 20) 43 - 5y = 3 $y = 8$

21) 5y - 9 = 11 $y = 4$ 22) 21 - 4y = 1 $y = 5$ 23) 26 - 8y = 2 $y = 3$ 24) 8y - 7 = 65 $y = 9$

25) 9 - 5y = 4 $y = 1$ 26) 63 - 6y = 9 $y = 9$ 27) 7y - 9 = 40 $y = 7$ 28) 75 - 8y = 3 $y = 9$

29) 25 - 2y = 9 $y = 8$ 30) 54 - 5y = 9 $y = 9$ 31) 11 - 7y = 4 $y = 1$ 32) 64 - 8y = 8 $y = 7$

33) 1y - 8 = 0 $y = 8$ 34) 3y - 9 = 15 $y = 8$ 35) 5y - 3 = 22 $y = 5$ 36) 5y - 4 = 36 $y = 8$

37) 9y - 1 = 62 $y = 7$ 38) 17 - 2y = 3 $y = 7$ 39) 35 - 6y = 5 $y = 5$ 40) 7 - 1y = 6 $y = 1$

41) 2y - 2 = 12 $y = 7$ 42) 3y - 6 = 21 $y = 9$ 43) 32 - 8y = 0 $y = 4$ 44) 5y - 8 = 12 $y = 4$

45) 13 - 5y = 8 $y = 1$ 46) 19 - 5y = 4 $y = 3$ 47) 3y - 2 = 4 $y = 2$ 48) 3y - 7 = 11 $y = 6$

49) 6y - 1 = 17 $y = 3$ 50) 7y - 4 = 24 $y = 4$

EE) Solve for the variable.

1) $4 + 2y = 8$ $y = 2$ 2) $y - 4 = 1$ $y = 5$ 3) $32 - 3y = 8$ $y = 8$ 4) $y \times 3 = 18$ $y = 6$

5) $3y - 9 = 3$ $y = 4$ 6) $6y - 8 = 22$ $y = 5$ 7) $4 \div y = 2$ $y = 2$ 8) $1y + 2 = 5$ $y = 3$

9) $6y - 5 = 25$ $y = 5$ 10) $9 + 7y = 58$ $y = 7$ 11) $y - 1 = 7$ $y = 8$ 12) $3 \times y = 6$ $y = 2$

13) $7y - 3 = 46$ $y = 7$ 14) $8 - y = 2$ $y = 6$ 15) $y \div 1 = 6$ $y = 6$ 16) $y - 5 = 2$ $y = 7$

17) $7y - 1 = 13$ $y = 2$ 18) $1 + 8y = 57$ $y = 7$ 19) $8 + y = 15$ $y = 7$ 20) $y + 2 = 3$ $y = 1$

21) $y - 1 = 2$ $y = 3$ 22) $38 - 4y = 6$ $y = 8$ 23) $y + 6 = 7$ $y = 1$ 24) $1 \times y = 8$ $y = 8$

25) $4 + y = 10$ $y = 6$ 26) $y - 5 = 1$ $y = 6$ 27) $9 \times y = 27$ $y = 3$ 28) $42 \div y = 7$ $y = 6$

29) $5 - y = 4$ $y = 1$ 30) $9 - y = 3$ $y = 6$ 31) $y - 2 = 4$ $y = 6$ 32) $23 - 5y = 8$ $y = 3$

33) $5y - 7 = 28$ $y = 7$ 34) $5 + 4y = 13$ $y = 2$ 35) $y + 2 = 6$ $y = 4$ 36) $y + 4 = 12$ $y = 8$

37) $y \div 1 = 9$ $y = 9$ 38) $4 \times y = 28$ $y = 7$ 39) $y - 3 = 3$ $y = 6$ 40) $y \div 7 = 8$ $y = 56$

41) $3 - y = 2$ $y = 1$ 42) $7 + 4y = 19$ $y = 3$ 43) $y - 1 = 3$ $y = 4$ 44) $y \div 5 = 1$ $y = 5$

45) $y + 4 = 13$ $y = 9$ 46) $y \times 5 = 20$ $y = 4$ 47) $2 \times y = 18$ $y = 9$ 48) $y \div 6 = 5$ $y = 30$

49) $y - 2 = 4$ $y = 6$ 50) $y - 6 = 2$ $y = 8$

FF) Solve for the variable.

1) 2 + 9y = 47 $\underline{y = 5}$ 2) 43 - 7y = 8 $\underline{y = 5}$ 3) 8y - 9 = 55 $\underline{y = 8}$ 4) 19 - 2y = 5 $\underline{y = 7}$

5) 9 × y = 81 $\underline{y = 9}$ 6) 7y + 5 = 26 $\underline{y = 3}$ 7) 3 + y = 5 $\underline{y = 2}$ 8) y ÷ 4 = 2 $\underline{y = 8}$

9) 56 ÷ y = 8 $\underline{y = 7}$ 10) y × 7 = 49 $\underline{y = 7}$ 11) 4 + 6y = 52 $\underline{y = 8}$ 12) 6 + y = 9 $\underline{y = 3}$

13) 8 + y = 9 $\underline{y = 1}$ 14) 4y - 7 = 9 $\underline{y = 4}$ 15) y - 1 = 8 $\underline{y = 9}$ 16) y ÷ 9 = 4 $\underline{y = 36}$

17) 3y - 6 = 18 $\underline{y = 8}$ 18) y + 9 = 14 $\underline{y = 5}$ 19) y × 5 = 45 $\underline{y = 9}$ 20) 8 + y = 14 $\underline{y = 6}$

21) y + 1 = 10 $\underline{y = 9}$ 22) y × 3 = 12 $\underline{y = 4}$ 23) 8 - y = 4 $\underline{y = 4}$ 24) 18 ÷ y = 9 $\underline{y = 2}$

25) 9y - 8 = 19 $\underline{y = 3}$ 26) 6 × y = 54 $\underline{y = 9}$ 27) y × 2 = 8 $\underline{y = 4}$ 28) 6 - y = 2 $\underline{y = 4}$

29) y × 7 = 21 $\underline{y = 3}$ 30) y × 3 = 21 $\underline{y = 7}$ 31) y × 8 = 64 $\underline{y = 8}$ 32) 1 × y = 3 $\underline{y = 3}$

33) 5 × y = 30 $\underline{y = 6}$ 34) y ÷ 9 = 3 $\underline{y = 27}$ 35) 24 ÷ y = 3 $\underline{y = 8}$ 36) 8y + 7 = 71 $\underline{y = 8}$

37) 3 + y = 9 $\underline{y = 6}$ 38) 9 - y = 1 $\underline{y = 8}$ 39) y + 1 = 9 $\underline{y = 8}$ 40) y × 5 = 35 $\underline{y = 7}$

41) 8 + 5y = 33 $\underline{y = 5}$ 42) y ÷ 4 = 7 $\underline{y = 28}$ 43) y ÷ 4 = 6 $\underline{y = 24}$ 44) 1y - 7 = 2 $\underline{y = 9}$

45) y ÷ 4 = 1 $\underline{y = 4}$ 46) 1 × y = 5 $\underline{y = 5}$ 47) 4 ÷ y = 2 $\underline{y = 2}$ 48) y - 2 = 3 $\underline{y = 5}$

49) 7 + 2y = 11 $\underline{y = 2}$ 50) y - 6 = 1 $\underline{y = 7}$

GG) Solve for the variable.

1) $2 \div y = 1$ $\underline{y = 2}$ 2) $y - 4 = 3$ $\underline{y = 7}$ 3) $7 \times y = 21$ $\underline{y = 3}$ 4) $y + 1 = 10$ $\underline{y = 9}$

5) $6 - y = 2$ $\underline{y = 4}$ 6) $7 \times y = 7$ $\underline{y = 1}$ 7) $5y - 3 = 17$ $\underline{y = 4}$ 8) $y + 8 = 11$ $\underline{y = 3}$

9) $y \times 8 = 32$ $\underline{y = 4}$ 10) $3 - y = 1$ $\underline{y = 2}$ 11) $8 + 8y = 72$ $\underline{y = 8}$ 12) $y \times 4 = 20$ $\underline{y = 5}$

13) $9 - y = 4$ $\underline{y = 5}$ 14) $6y - 8 = 4$ $\underline{y = 2}$ 15) $4 + y = 5$ $\underline{y = 1}$ 16) $y \times 9 = 36$ $\underline{y = 4}$

17) $y \times 8 = 72$ $\underline{y = 9}$ 18) $6y - 4 = 20$ $\underline{y = 4}$ 19) $y + 6 = 7$ $\underline{y = 1}$ 20) $4y - 3 = 9$ $\underline{y = 3}$

21) $2y - 2 = 10$ $\underline{y = 6}$ 22) $6 \div y = 1$ $\underline{y = 6}$ 23) $6y - 7 = 29$ $\underline{y = 6}$ 24) $30 \div y = 5$ $\underline{y = 6}$

25) $y \times 2 = 8$ $\underline{y = 4}$ 26) $y \times 3 = 15$ $\underline{y = 5}$ 27) $2y + 8 = 12$ $\underline{y = 2}$ 28) $54 - 7y = 5$ $\underline{y = 7}$

29) $6 + y = 14$ $\underline{y = 8}$ 30) $5 - y = 3$ $\underline{y = 2}$ 31) $9 - y = 2$ $\underline{y = 7}$ 32) $4y - 9 = 15$ $\underline{y = 6}$

33) $9 - y = 5$ $\underline{y = 4}$ 34) $8 + y = 13$ $\underline{y = 5}$ 35) $3y + 4 = 13$ $\underline{y = 3}$ 36) $4 - y = 3$ $\underline{y = 1}$

37) $5 \times y = 15$ $\underline{y = 3}$ 38) $16 \div y = 2$ $\underline{y = 8}$ 39) $18 \div y = 2$ $\underline{y = 9}$ 40) $y + 9 = 16$ $\underline{y = 7}$

41) $y \times 7 = 56$ $\underline{y = 8}$ 42) $6y + 6 = 60$ $\underline{y = 9}$ 43) $y - 5 = 0$ $\underline{y = 5}$ 44) $y \div 3 = 8$ $\underline{y = 24}$

45) $9 + y = 18$ $\underline{y = 9}$ 46) $9 \div y = 9$ $\underline{y = 1}$ 47) $7y - 7 = 28$ $\underline{y = 5}$ 48) $y \div 3 = 9$ $\underline{y = 27}$

49) $9y + 1 = 10$ $\underline{y = 1}$ 50) $3y - 8 = 13$ $\underline{y = 7}$

HH) Solve for the variable.

1) 6 - y = 5 $\underline{y = 1}$ 2) 34 - 5y = 4 $\underline{y = 6}$ 3) 2 + 1y = 7 $\underline{y = 5}$ 4) 18 ÷ y = 9 $\underline{y = 2}$

5) 2 - y = 1 $\underline{y = 1}$ 6) y + 8 = 13 $\underline{y = 5}$ 7) 7y - 3 = 18 $\underline{y = 3}$ 8) y × 9 = 81 $\underline{y = 9}$

9) y - 3 = 1 $\underline{y = 4}$ 10) 4 - 4y = 0 $\underline{y = 1}$ 11) 8y - 8 = 64 $\underline{y = 9}$ 12) 1y + 8 = 15 $\underline{y = 7}$

13) 35 ÷ y = 5 $\underline{y = 7}$ 14) 1 + 7y = 22 $\underline{y = 3}$ 15) y ÷ 5 = 9 $\underline{y = 45}$ 16) y + 9 = 10 $\underline{y = 1}$

17) y ÷ 7 = 2 $\underline{y = 14}$ 18) 42 - 6y = 0 $\underline{y = 7}$ 19) 6 + y = 9 $\underline{y = 3}$ 20) y - 6 = 3 $\underline{y = 9}$

21) 9y + 3 = 39 $\underline{y = 4}$ 22) 6 ÷ y = 2 $\underline{y = 3}$ 23) 6 + y = 14 $\underline{y = 8}$ 24) y × 6 = 24 $\underline{y = 4}$

25) 53 - 8y = 5 $\underline{y = 6}$ 26) 3y - 9 = 3 $\underline{y = 4}$ 27) 8y - 1 = 47 $\underline{y = 6}$ 28) 6y - 9 = 39 $\underline{y = 8}$

29) 8y + 1 = 73 $\underline{y = 9}$ 30) 1 + 1y = 6 $\underline{y = 5}$ 31) 3 × y = 21 $\underline{y = 7}$ 32) y ÷ 5 = 2 $\underline{y = 10}$

33) 36 ÷ y = 6 $\underline{y = 6}$ 34) y ÷ 3 = 9 $\underline{y = 27}$ 35) 54 - 5y = 9 $\underline{y = 9}$ 36) y - 4 = 0 $\underline{y = 4}$

37) 15 ÷ y = 5 $\underline{y = 3}$ 38) y - 8 = 0 $\underline{y = 8}$ 39) 1 × y = 7 $\underline{y = 7}$ 40) 6y + 8 = 32 $\underline{y = 4}$

41) 2 ÷ y = 1 $\underline{y = 2}$ 42) 7 + 5y = 42 $\underline{y = 7}$ 43) y - 3 = 6 $\underline{y = 9}$ 44) 16 ÷ y = 8 $\underline{y = 2}$

45) 7 + 8y = 47 $\underline{y = 5}$ 46) 5 + y = 6 $\underline{y = 1}$ 47) y ÷ 2 = 2 $\underline{y = 4}$ 48) 27 - 3y = 9 $\underline{y = 6}$

49) 7 + y = 8 $\underline{y = 1}$ 50) y + 7 = 11 $\underline{y = 4}$

II) Solve for the variable.

1) $y \times 1 = 8$ $\underline{y = 8}$ 2) $4y + 5 = 29$ $\underline{y = 6}$ 3) $5y + 7 = 52$ $\underline{y = 9}$ 4) $24 - 7y = 3$ $\underline{y = 3}$

5) $1 + 9y = 37$ $\underline{y = 4}$ 6) $2y - 7 = 1$ $\underline{y = 4}$ 7) $y + 6 = 14$ $\underline{y = 8}$ 8) $8 \div y = 8$ $\underline{y = 1}$

9) $35 \div y = 5$ $\underline{y = 7}$ 10) $15 - 5y = 0$ $\underline{y = 3}$ 11) $49 - 6y = 7$ $\underline{y = 7}$ 12) $45 \div y = 9$ $\underline{y = 5}$

13) $4 \times y = 8$ $\underline{y = 2}$ 14) $9y - 8 = 73$ $\underline{y = 9}$ 15) $9 + 7y = 23$ $\underline{y = 2}$ 16) $2y + 5 = 9$ $\underline{y = 2}$

17) $9 - 8y = 1$ $\underline{y = 1}$ 18) $7 + y = 15$ $\underline{y = 8}$ 19) $2 + y = 5$ $\underline{y = 3}$ 20) $3y + 7 = 16$ $\underline{y = 3}$

21) $71 - 9y = 8$ $\underline{y = 7}$ 22) $4 + 8y = 68$ $\underline{y = 8}$ 23) $6y - 3 = 3$ $\underline{y = 1}$ 24) $1 \times y = 6$ $\underline{y = 6}$

25) $9y + 3 = 21$ $\underline{y = 2}$ 26) $2 + y = 3$ $\underline{y = 1}$ 27) $y + 7 = 12$ $\underline{y = 5}$ 28) $1 + y = 4$ $\underline{y = 3}$

29) $4y - 5 = 15$ $\underline{y = 5}$ 30) $3 + 8y = 27$ $\underline{y = 3}$ 31) $6 - y = 3$ $\underline{y = 3}$ 32) $2y - 6 = 12$ $\underline{y = 9}$

33) $3y + 8 = 17$ $\underline{y = 3}$ 34) $5 + y = 14$ $\underline{y = 9}$ 35) $y \times 5 = 5$ $\underline{y = 1}$ 36) $1 + y = 10$ $\underline{y = 9}$

37) $54 - 7y = 5$ $\underline{y = 7}$ 38) $21 \div y = 3$ $\underline{y = 7}$ 39) $y \div 3 = 4$ $\underline{y = 12}$ 40) $42 \div y = 7$ $\underline{y = 6}$

41) $y + 6 = 13$ $\underline{y = 7}$ 42) $y + 5 = 13$ $\underline{y = 8}$ 43) $9y - 2 = 43$ $\underline{y = 5}$ 44) $y \div 1 = 5$ $\underline{y = 5}$

45) $2y - 8 = 2$ $\underline{y = 5}$ 46) $4 + 7y = 39$ $\underline{y = 5}$ 47) $9 \times y = 27$ $\underline{y = 3}$ 48) $y \div 9 = 8$ $\underline{y = 72}$

49) $2 \times y = 12$ $\underline{y = 6}$ 50) $2 + 7y = 51$ $\underline{y = 7}$

JJ) Solve for the variable.

1) $y \div 3 = 5$ $y = 15$ 2) $15 = 8 + y$ $y = 7$ 3) $y - 3 = 4$ $y = 7$ 4) $3 = 7 - y$ $y = 4$

5) $9 = 3 \times y$ $y = 3$ 6) $7y - 4 = 24$ $y = 4$ 7) $9 + 1y = 14$ $y = 5$ 8) $16 = 7 + y$ $y = 9$

9) $1 = 3 - y$ $y = 2$ 10) $7 + y = 14$ $y = 7$ 11) $2 + y = 7$ $y = 5$ 12) $y - 1 = 8$ $y = 9$

13) $1y + 5 = 6$ $y = 1$ 14) $y + 2 = 4$ $y = 2$ 15) $13 = y + 8$ $y = 5$ 16) $7 - y = 2$ $y = 5$

17) $y \times 4 = 4$ $y = 1$ 18) $8 + y = 10$ $y = 2$ 19) $2 = y \times 2$ $y = 1$ 20) $y - 4 = 2$ $y = 6$

21) $y - 1 = 2$ $y = 3$ 22) $5 = y - 1$ $y = 6$ 23) $1 = 41 - 8y$ $y = 5$ 24) $y \times 6 = 48$ $y = 8$

25) $17 = 9 + y$ $y = 8$ 26) $18 = y \times 3$ $y = 6$ 27) $9 - y = 3$ $y = 6$ 28) $6 \times y = 12$ $y = 2$

29) $8 + 1y = 11$ $y = 3$ 30) $y - 3 = 1$ $y = 4$ 31) $6 = 24 - 9y$ $y = 2$ 32) $3y + 5 = 29$ $y = 8$

33) $56 - 8y = 8$ $y = 6$ 34) $2y + 2 = 10$ $y = 4$ 35) $7 = y + 4$ $y = 3$ 36) $y - 4 = 5$ $y = 9$

37) $11 = y + 5$ $y = 6$ 38) $y - 4 = 5$ $y = 9$ 39) $63 = 9 \times y$ $y = 7$ 40) $y \div 8 = 6$ $y = 48$

41) $9 = 4 + 1y$ $y = 5$ 42) $2y + 7 = 19$ $y = 6$ 43) $9 = y + 6$ $y = 3$ 44) $8 + y = 17$ $y = 9$

45) $4 = 34 - 5y$ $y = 6$ 46) $y - 5 = 0$ $y = 5$ 47) $4 = y - 5$ $y = 9$ 48) $4y - 1 = 3$ $y = 1$

49) $24 = 2y + 8$ $y = 8$ 50) $8 - y = 7$ $y = 1$

KK) Solve for the variable.

1) $2 = 1 + y$ $\underline{\ y = 1\ }$ 2) $5 = 3y - 4$ $\underline{\ y = 3\ }$ 3) $1 = 9 - y$ $\underline{\ y = 8\ }$ 4) $4 = y \div 3$ $\underline{\ y = 12\ }$

5) $51 = 9 + 6y$ $\underline{\ y = 7\ }$ 6) $48 = 8 \times y$ $\underline{\ y = 6\ }$ 7) $2 = y - 5$ $\underline{\ y = 7\ }$ 8) $8 \times y = 64$ $\underline{\ y = 8\ }$

9) $6 - y = 2$ $\underline{\ y = 4\ }$ 10) $16 \div y = 4$ $\underline{\ y = 4\ }$ 11) $2 = y - 7$ $\underline{\ y = 9\ }$ 12) $9 = y + 4$ $\underline{\ y = 5\ }$

13) $y \times 7 = 14$ $\underline{\ y = 2\ }$ 14) $0 = 32 - 4y$ $\underline{\ y = 8\ }$ 15) $18 = 9 \times y$ $\underline{\ y = 2\ }$ 16) $1 + 1y = 6$ $\underline{\ y = 5\ }$

17) $1 = 25 - 8y$ $\underline{\ y = 3\ }$ 18) $18 - 8y = 2$ $\underline{\ y = 2\ }$ 19) $76 = 4 + 9y$ $\underline{\ y = 8\ }$ 20) $y \div 3 = 9$ $\underline{\ y = 27\ }$

21) $6 = 5 + y$ $\underline{\ y = 1\ }$ 22) $9 - y = 4$ $\underline{\ y = 5\ }$ 23) $13 = y + 8$ $\underline{\ y = 5\ }$ 24) $5 - y = 1$ $\underline{\ y = 4\ }$

25) $0 = 9 - y$ $\underline{\ y = 9\ }$ 26) $2 + y = 5$ $\underline{\ y = 3\ }$ 27) $2 \times y = 14$ $\underline{\ y = 7\ }$ 28) $11 = 8 + y$ $\underline{\ y = 3\ }$

29) $0 = 3y - 9$ $\underline{\ y = 3\ }$ 30) $38 - 4y = 2$ $\underline{\ y = 9\ }$ 31) $12 = 5 + y$ $\underline{\ y = 7\ }$ 32) $7 - y = 4$ $\underline{\ y = 3\ }$

33) $1y + 1 = 5$ $\underline{\ y = 4\ }$ 34) $6 + y = 11$ $\underline{\ y = 5\ }$ 35) $19 = 7 + 2y$ $\underline{\ y = 6\ }$ 36) $9 - y = 7$ $\underline{\ y = 2\ }$

37) $y \times 2 = 2$ $\underline{\ y = 1\ }$ 38) $2 = 3 - y$ $\underline{\ y = 1\ }$ 39) $49 - 8y = 1$ $\underline{\ y = 6\ }$ 40) $6 = 3 + y$ $\underline{\ y = 3\ }$

41) $4y + 4 = 8$ $\underline{\ y = 1\ }$ 42) $y \times 7 = 56$ $\underline{\ y = 8\ }$ 43) $25 = 5 \times y$ $\underline{\ y = 5\ }$ 44) $6 - y = 1$ $\underline{\ y = 5\ }$

45) $5y - 7 = 28$ $\underline{\ y = 7\ }$ 46) $y - 4 = 3$ $\underline{\ y = 7\ }$ 47) $3 = y - 4$ $\underline{\ y = 7\ }$ 48) $7 = 56 - 7y$ $\underline{\ y = 7\ }$

49) $4 = 2 + y$ $\underline{\ y = 2\ }$ 50) $23 = 4y - 1$ $\underline{\ y = 6\ }$

LL) Solve for the variable.

1) 7 = 47 - 8y $y = 5$ 2) 31 = 4 + 3y $y = 9$ 3) 1 = y ÷ 9 $y = 9$ 4) 46 = 5y + 1 $y = 9$

5) 2 + 7y = 30 $y = 4$ 6) y + 1 = 3 $y = 2$ 7) y × 7 = 14 $y = 2$ 8) 8 - y = 1 $y = 7$

9) 30 ÷ y = 5 $y = 6$ 10) 4 = 28 - 4y $y = 6$ 11) 8 = 32 ÷ y $y = 4$ 12) 44 = 5y + 4 $y = 8$

13) 1y + 2 = 10 $y = 8$ 14) 13 = 4y - 3 $y = 4$ 15) 10 = y + 5 $y = 5$ 16) 7 = y ÷ 4 $y = 28$

17) 3 + 9y = 75 $y = 8$ 18) 7y + 9 = 37 $y = 4$ 19) 13 = y + 7 $y = 6$ 20) 1 = y - 4 $y = 5$

21) 10 = y + 8 $y = 2$ 22) 5 = 4 + y $y = 1$ 23) 2 = 9 - y $y = 7$ 24) 72 = 9 × y $y = 8$

25) 2 = 1y - 1 $y = 3$ 26) 3 + y = 5 $y = 2$ 27) 6 - 1y = 1 $y = 5$ 28) 4 = y - 1 $y = 5$

29) 7 + y = 8 $y = 1$ 30) 3 = y + 2 $y = 1$ 31) 4 + y = 8 $y = 4$ 32) 22 = 3y - 5 $y = 9$

33) 9 ÷ y = 3 $y = 3$ 34) 26 = 6 + 5y $y = 4$ 35) 11 = y + 9 $y = 2$ 36) 8 = 53 - 9y $y = 5$

37) 9 = 5 + 2y $y = 2$ 38) 1 = y ÷ 8 $y = 8$ 39) 5 = y + 1 $y = 4$ 40) 6y - 4 = 8 $y = 2$

41) 11 = 7 + y $y = 4$ 42) 5y + 7 = 22 $y = 3$ 43) 5y - 1 = 39 $y = 8$ 44) 7 = 9 - y $y = 2$

45) 6 ÷ y = 6 $y = 1$ 46) 8 + 9y = 53 $y = 5$ 47) 2y + 6 = 10 $y = 2$ 48) 5 - 5y = 0 $y = 1$

49) 23 = 4y - 5 $y = 7$ 50) 9 = 27 ÷ y $y = 3$

MM) Solve for the variable.

1) $2 \times y = 4$ $\underline{y = 2}$ 2) $15 = 7 + 8y$ $\underline{y = 1}$ 3) $6 - y = 0$ $\underline{y = 6}$ 4) $5 + 5y = 50$ $\underline{y = 9}$

5) $3 = y \div 9$ $\underline{y = 27}$ 6) $4 = 8 - y$ $\underline{y = 4}$ 7) $56 - 6y = 2$ $\underline{y = 9}$ 8) $59 = 8y + 3$ $\underline{y = 7}$

9) $9 = 1y + 1$ $\underline{y = 8}$ 10) $43 = 5y + 8$ $\underline{y = 7}$ 11) $2 = y - 4$ $\underline{y = 6}$ 12) $6 \times y = 12$ $\underline{y = 2}$

13) $y \div 7 = 5$ $\underline{y = 35}$ 14) $2y + 1 = 13$ $\underline{y = 6}$ 15) $2y + 1 = 5$ $\underline{y = 2}$ 16) $7 = 63 \div y$ $\underline{y = 9}$

17) $11 = y + 7$ $\underline{y = 4}$ 18) $7 = y \div 2$ $\underline{y = 14}$ 19) $1 + y = 6$ $\underline{y = 5}$ 20) $3 \times y = 15$ $\underline{y = 5}$

21) $5 - y = 2$ $\underline{y = 3}$ 22) $7 + 7y = 49$ $\underline{y = 6}$ 23) $y \times 4 = 28$ $\underline{y = 7}$ 24) $5 \times y = 30$ $\underline{y = 6}$

25) $5y + 9 = 34$ $\underline{y = 5}$ 26) $21 = 1 + 5y$ $\underline{y = 4}$ 27) $7 = 5 + y$ $\underline{y = 2}$ 28) $32 = y \times 8$ $\underline{y = 4}$

29) $9 = 5 + y$ $\underline{y = 4}$ 30) $y \times 8 = 24$ $\underline{y = 3}$ 31) $1 = 3 \div y$ $\underline{y = 3}$ 32) $5y - 1 = 4$ $\underline{y = 1}$

33) $3 \times y = 24$ $\underline{y = 8}$ 34) $9 = y \div 3$ $\underline{y = 27}$ 35) $3 + 7y = 24$ $\underline{y = 3}$ 36) $y - 7 = 1$ $\underline{y = 8}$

37) $6 - y = 5$ $\underline{y = 1}$ 38) $y - 2 = 1$ $\underline{y = 3}$ 39) $26 = 8 + 2y$ $\underline{y = 9}$ 40) $42 = 6y - 6$ $\underline{y = 8}$

41) $3 = 6 - y$ $\underline{y = 3}$ 42) $2y + 9 = 25$ $\underline{y = 8}$ 43) $5 = 4 + y$ $\underline{y = 1}$ 44) $7 = 9 - y$ $\underline{y = 2}$

45) $5 = y - 4$ $\underline{y = 9}$ 46) $5 + 2y = 7$ $\underline{y = 1}$ 47) $y + 9 = 18$ $\underline{y = 9}$ 48) $1 = 4 - y$ $\underline{y = 3}$

49) $1y - 5 = 3$ $\underline{y = 8}$ 50) $6 = y - 1$ $\underline{y = 7}$

NN) Solve for the variable.

1) $y - 2 = 5$ $\underline{y = 7}$ 2) $1 \times y = 6$ $\underline{y = 6}$ 3) $8 = 16 \div y$ $\underline{y = 2}$ 4) $1 = 6 - y$ $\underline{y = 5}$

5) $2 = y \div 6$ $\underline{y = 12}$ 6) $1 \times y = 3$ $\underline{y = 3}$ 7) $3 = y - 3$ $\underline{y = 6}$ 8) $2 + 1y = 4$ $\underline{y = 2}$

9) $y \div 4 = 9$ $\underline{y = 36}$ 10) $9 = y + 5$ $\underline{y = 4}$ 11) $54 = 6 \times y$ $\underline{y = 9}$ 12) $24 \div y = 8$ $\underline{y = 3}$

13) $2y + 6 = 14$ $\underline{y = 4}$ 14) $0 = 54 - 9y$ $\underline{y = 6}$ 15) $6 = 87 - 9y$ $\underline{y = 9}$ 16) $y - 3 = 2$ $\underline{y = 5}$

17) $3 = 3 \times y$ $\underline{y = 1}$ 18) $10 = y + 3$ $\underline{y = 7}$ 19) $8 \div y = 2$ $\underline{y = 4}$ 20) $29 = 5y + 9$ $\underline{y = 4}$

21) $12 = 7 + 5y$ $\underline{y = 1}$ 22) $16 = 3y - 5$ $\underline{y = 7}$ 23) $6 \div y = 6$ $\underline{y = 1}$ 24) $7 \times y = 35$ $\underline{y = 5}$

25) $3 = 5 - 2y$ $\underline{y = 1}$ 26) $15 = 4y - 1$ $\underline{y = 4}$ 27) $38 = 6y + 8$ $\underline{y = 5}$ 28) $63 = 8y - 1$ $\underline{y = 8}$

29) $y - 3 = 1$ $\underline{y = 4}$ 30) $6 + y = 14$ $\underline{y = 8}$ 31) $5 = 1 \times y$ $\underline{y = 5}$ 32) $27 = 6y - 3$ $\underline{y = 5}$

33) $44 - 9y = 8$ $\underline{y = 4}$ 34) $26 = 7y - 9$ $\underline{y = 5}$ 35) $1 = 1 \times y$ $\underline{y = 1}$ 36) $6 \times y = 42$ $\underline{y = 7}$

37) $y + 5 = 13$ $\underline{y = 8}$ 38) $y + 2 = 10$ $\underline{y = 8}$ 39) $7 - y = 3$ $\underline{y = 4}$ 40) $y \div 3 = 6$ $\underline{y = 18}$

41) $6 = 3 \times y$ $\underline{y = 2}$ 42) $0 = 36 - 6y$ $\underline{y = 6}$ 43) $9 = y \div 8$ $\underline{y = 72}$ 44) $6 = 2y - 8$ $\underline{y = 7}$

45) $11 = 8y - 5$ $\underline{y = 2}$ 46) $58 = 7y + 9$ $\underline{y = 7}$ 47) $3 = 27 \div y$ $\underline{y = 9}$ 48) $y + 4 = 6$ $\underline{y = 2}$

49) $0 = 2y - 8$ $\underline{y = 4}$ 50) $7 = y \times 1$ $\underline{y = 7}$

OO) Solve for the variable.

1) $2y + 1 = 11$ $y = 5$ 2) $17 = y + 8$ $y = 9$ 3) $6 + 8y = 78$ $y = 9$ 4) $63 = y \times 7$ $y = 9$

5) $5 + y = 10$ $y = 5$ 6) $9 = y \times 1$ $y = 9$ 7) $8 = 14 - 1y$ $y = 6$ 8) $23 = 2y + 7$ $y = 8$

9) $y \div 3 = 8$ $y = 24$ 10) $5 \times y = 45$ $y = 9$ 11) $8 \times y = 16$ $y = 2$ 12) $1 = 5 - y$ $y = 4$

13) $9 - y = 0$ $y = 9$ 14) $17 = 9 + y$ $y = 8$ 15) $18 - 2y = 4$ $y = 7$ 16) $2 = 7 - y$ $y = 5$

17) $8 - y = 6$ $y = 2$ 18) $4 = 7 - y$ $y = 3$ 19) $y \div 3 = 6$ $y = 18$ 20) $6 = 6 \times y$ $y = 1$

21) $5 = 1 + 4y$ $y = 1$ 22) $1 = 8 \div y$ $y = 8$ 23) $8y - 2 = 6$ $y = 1$ 24) $0 = 3 - y$ $y = 3$

25) $1 \times y = 2$ $y = 2$ 26) $3y + 2 = 20$ $y = 6$ 27) $2 = 10 \div y$ $y = 5$ 28) $6 = 2y - 2$ $y = 4$

29) $y \div 4 = 2$ $y = 8$ 30) $24 = 3y + 9$ $y = 5$ 31) $14 = 6 + 1y$ $y = 8$ 32) $4 = y - 3$ $y = 7$

33) $6 = y \times 3$ $y = 2$ 34) $2y - 1 = 13$ $y = 7$ 35) $5 = y - 2$ $y = 7$ 36) $4y - 9 = 3$ $y = 3$

37) $67 = 9y + 4$ $y = 7$ 38) $3 \times y = 27$ $y = 9$ 39) $1 = 22 - 3y$ $y = 7$ 40) $56 = 8y + 8$ $y = 6$

41) $5 + y = 13$ $y = 8$ 42) $3 = 6 - y$ $y = 3$ 43) $24 = 2y + 8$ $y = 8$ 44) $4y - 4 = 8$ $y = 3$

45) $28 \div y = 7$ $y = 4$ 46) $9 = 8 + y$ $y = 1$ 47) $y \div 6 = 5$ $y = 30$ 48) $y \times 5 = 35$ $y = 7$

49) $9 = y \div 4$ $y = 36$ 50) $4 = 8 - y$ $y = 4$

PP) Solve for the variable.

1) $16 = 8 + 1y$ $y = 8$ 2) $30 = 5 + 5y$ $y = 5$ 3) $14 = 2 + 2y$ $y = 6$ 4) $y \div 3 = 2$ $y = 6$

5) $1y + 7 = 16$ $y = 9$ 6) $7 \times y = 28$ $y = 4$ 7) $y - 1 = 7$ $y = 8$ 8) $6 + y = 14$ $y = 8$

9) $4 = 24 - 4y$ $y = 5$ 10) $y \times 4 = 4$ $y = 1$ 11) $6 = 69 - 9y$ $y = 7$ 12) $4 = y - 4$ $y = 8$

13) $1 = 3y - 5$ $y = 2$ 14) $2 = 10 \div y$ $y = 5$ 15) $1 = 2 \div y$ $y = 2$ 16) $9y + 8 = 71$ $y = 7$

17) $17 = 8 + y$ $y = 9$ 18) $y - 6 = 3$ $y = 9$ 19) $5 = y \div 6$ $y = 30$ 20) $6 = y - 3$ $y = 9$

21) $5 \times y = 30$ $y = 6$ 22) $8 = 44 - 6y$ $y = 6$ 23) $3 = 8 - y$ $y = 5$ 24) $74 = 2 + 9y$ $y = 8$

25) $1 = 5 \div y$ $y = 5$ 26) $39 = 6y - 9$ $y = 8$ 27) $10 = 8 + y$ $y = 2$ 28) $34 - 7y = 6$ $y = 4$

29) $4 = y \times 2$ $y = 2$ 30) $3 = 17 - 7y$ $y = 2$ 31) $9y - 3 = 69$ $y = 8$ 32) $2 = 8y - 6$ $y = 1$

33) $y \times 6 = 24$ $y = 4$ 34) $7 = y \div 6$ $y = 42$ 35) $3 + y = 4$ $y = 1$ 36) $5 \times y = 45$ $y = 9$

37) $6 = y - 1$ $y = 7$ 38) $2 = y + 1$ $y = 1$ 39) $5 \times y = 35$ $y = 7$ 40) $8 = 44 - 4y$ $y = 9$

41) $14 = 6y - 4$ $y = 3$ 42) $3 = y - 6$ $y = 9$ 43) $31 = 7y + 3$ $y = 4$ 44) $22 - 2y = 4$ $y = 9$

45) $4 = 28 \div y$ $y = 7$ 46) $y + 7 = 10$ $y = 3$ 47) $6 = 18 \div y$ $y = 3$ 48) $17 = 3y - 7$ $y = 8$

49) $5 = 2y - 7$ $y = 6$ 50) $y \times 9 = 18$ $y = 2$

QQ) Solve for the variable.

1) $26 = 6y + 2$ $y = 4$

2) $2 - y = 1$ $y = 1$

3) $y - 1 = 5$ $y = 6$

4) $28 \div y = 4$ $y = 7$

5) $1y + 5 = 11$ $y = 6$

6) $2 = 22 - 4y$ $y = 5$

7) $8 + y = 11$ $y = 3$

8) $72 = y \times 9$ $y = 8$

9) $6 = y \div 3$ $y = 18$

10) $7y - 8 = 48$ $y = 8$

11) $12 \div y = 4$ $y = 3$

12) $6 + y = 9$ $y = 3$

13) $65 - 9y = 2$ $y = 7$

14) $8 = 7 + y$ $y = 1$

15) $2 = y \div 5$ $y = 10$

16) $4 = y \div 8$ $y = 32$

17) $y - 3 = 5$ $y = 8$

18) $5 + 3y = 32$ $y = 9$

19) $3y - 6 = 15$ $y = 7$

20) $7 = 8 - y$ $y = 1$

21) $y + 2 = 4$ $y = 2$

22) $42 = y \times 7$ $y = 6$

23) $56 = 7y - 7$ $y = 9$

24) $16 = 3y - 2$ $y = 6$

25) $y + 3 = 12$ $y = 9$

26) $y \times 1 = 4$ $y = 4$

27) $1 + y = 8$ $y = 7$

28) $y + 3 = 10$ $y = 7$

29) $28 \div y = 7$ $y = 4$

30) $9y + 4 = 58$ $y = 6$

31) $8 = y \div 4$ $y = 32$

32) $27 = 4y - 5$ $y = 8$

33) $8y + 5 = 45$ $y = 5$

34) $1y - 9 = 0$ $y = 9$

35) $36 - 9y = 0$ $y = 4$

36) $8y - 7 = 57$ $y = 8$

37) $36 = y \times 4$ $y = 9$

38) $14 = 1y + 7$ $y = 7$

39) $12 = y + 6$ $y = 6$

40) $2 = 42 - 5y$ $y = 8$

41) $12 = y + 9$ $y = 3$

42) $11 = 2 + y$ $y = 9$

43) $14 = 9 + y$ $y = 5$

44) $9 - y = 3$ $y = 6$

45) $13 = 9 + y$ $y = 4$

46) $2 = 37 - 7y$ $y = 5$

47) $8 = 26 - 2y$ $y = 9$

48) $14 = 2 + 4y$ $y = 3$

49) $9y - 1 = 71$ $y = 8$

50) $8 = 6 + 1y$ $y = 2$

RR) Solve for the variable.

1) y - 7 = 2 _y = 9_   2) 1 = 2 ÷ y _y = 2_   3) y ÷ 3 = 1 _y = 3_   4) 11 = y + 6 _y = 5_

5) 0 = 3 - 1y _y = 3_   6) 2 + y = 11 _y = 9_   7) 7 = 39 - 4y _y = 8_   8) 6 = 8 - y _y = 2_

9) 72 = 8 × y _y = 9_   10) 7 + 3y = 22 _y = 5_   11) 1y + 6 = 13 _y = 7_   12) 4 = y - 2 _y = 6_

13) y ÷ 4 = 6 _y = 24_   14) 5 = y ÷ 9 _y = 45_   15) 3 - y = 1 _y = 2_   16) 5 + y = 11 _y = 6_

17) y × 2 = 14 _y = 7_   18) 6 = 1y - 3 _y = 9_   19) 10 = 3 + y _y = 7_   20) 8 = 3y + 2 _y = 2_

21) 15 = 3 × y _y = 5_   22) 2 = 3y - 1 _y = 1_   23) 4 = 18 - 2y _y = 7_   24) y - 3 = 2 _y = 5_

25) 5 = 14 - 3y _y = 3_   26) y ÷ 7 = 8 _y = 56_   27) 9 = 3 + 1y _y = 6_   28) 5 × y = 40 _y = 8_

29) y ÷ 1 = 7 _y = 7_   30) 24 ÷ y = 8 _y = 3_   31) 5 × y = 25 _y = 5_   32) 4 = 36 ÷ y _y = 9_

33) 6 = 12 ÷ y _y = 2_   34) 81 = y × 9 _y = 9_   35) y × 5 = 10 _y = 2_   36) 10 = 9 + y _y = 1_

37) 32 = y × 8 _y = 4_   38) 9 × y = 27 _y = 3_   39) 8 × y = 8 _y = 1_   40) y × 7 = 7 _y = 1_

41) 3 + 5y = 43 _y = 8_   42) 8y + 7 = 31 _y = 3_   43) 48 ÷ y = 6 _y = 8_   44) 1 = 2y - 3 _y = 2_

45) 4 + y = 12 _y = 8_   46) 10 = 2 × y _y = 5_   47) 53 = 4 + 7y _y = 7_   48) 4 = y × 4 _y = 1_

49) 6 - y = 5 _y = 1_   50) 30 = 7y + 2 _y = 4_

SS) Solve for the variable.

1) $7 = y \div 1$ $\underline{y = 7}$ 2) $y \div 3 = 5$ $\underline{y = 15}$ 3) $9 - y = 3$ $\underline{y = 6}$ 4) $63 = y \times 7$ $\underline{y = 9}$

5) $8 = y \div 8$ $\underline{y = 64}$ 6) $7 + y = 10$ $\underline{y = 3}$ 7) $5y + 2 = 42$ $\underline{y = 8}$ 8) $6 = 24 \div y$ $\underline{y = 4}$

9) $36 \div y = 9$ $\underline{y = 4}$ 10) $9y + 1 = 82$ $\underline{y = 9}$ 11) $3 = 6 \div y$ $\underline{y = 2}$ 12) $8 = 1 \times y$ $\underline{y = 8}$

13) $23 = 6y - 7$ $\underline{y = 5}$ 14) $9 = 33 - 8y$ $\underline{y = 3}$ 15) $y \div 5 = 9$ $\underline{y = 45}$ 16) $y - 4 = 1$ $\underline{y = 5}$

17) $2 = 8 \div y$ $\underline{y = 4}$ 18) $8y - 4 = 68$ $\underline{y = 9}$ 19) $8 = 28 - 4y$ $\underline{y = 5}$ 20) $y \div 9 = 5$ $\underline{y = 45}$

21) $y \times 4 = 12$ $\underline{y = 3}$ 22) $3 + 9y = 57$ $\underline{y = 6}$ 23) $48 = 6 + 7y$ $\underline{y = 6}$ 24) $6 = 6 \times y$ $\underline{y = 1}$

25) $5 \div y = 5$ $\underline{y = 1}$ 26) $75 = 9y + 3$ $\underline{y = 8}$ 27) $15 \div y = 5$ $\underline{y = 3}$ 28) $4 = y - 3$ $\underline{y = 7}$

29) $8 = 9 - y$ $\underline{y = 1}$ 30) $7y + 4 = 32$ $\underline{y = 4}$ 31) $73 - 8y = 1$ $\underline{y = 9}$ 32) $y \times 6 = 42$ $\underline{y = 7}$

33) $72 = 9 \times y$ $\underline{y = 8}$ 34) $18 = 9y - 9$ $\underline{y = 3}$ 35) $3y + 9 = 30$ $\underline{y = 7}$ 36) $3 = y - 1$ $\underline{y = 4}$

37) $1 = 6 - y$ $\underline{y = 5}$ 38) $8 = 7 + y$ $\underline{y = 1}$ 39) $54 = 5 + 7y$ $\underline{y = 7}$ 40) $2 + y = 9$ $\underline{y = 7}$

41) $6 = 4 + y$ $\underline{y = 2}$ 42) $y - 1 = 1$ $\underline{y = 2}$ 43) $10 = y \times 5$ $\underline{y = 2}$ 44) $y - 6 = 1$ $\underline{y = 7}$

45) $2 = y - 1$ $\underline{y = 3}$ 46) $40 = 5 \times y$ $\underline{y = 8}$ 47) $7 = 8 - y$ $\underline{y = 1}$ 48) $8 - 1y = 1$ $\underline{y = 7}$

49) $8y + 7 = 23$ $\underline{y = 2}$ 50) $53 = 7y + 4$ $\underline{y = 7}$

TT) Solve for the variable.

1) y - 4 = 5 _y = 9_   2) 54 = y × 9 _y = 6_   3) 20 = 8 + 2y _y = 6_   4) y - 5 = 3 _y = 8_

5) 2 = 1 × y _y = 2_   6) 3 + 7y = 52 _y = 7_   7) 2y - 4 = 12 _y = 8_   8) 2 = 2y - 2 _y = 2_

9) 1 = 7 - y _y = 6_   10) 8 = 64 - 8y _y = 7_   11) 32 = 7y - 3 _y = 5_   12) 3 + y = 12 _y = 9_

13) y ÷ 9 = 5 _y = 45_   14) 6y - 4 = 32 _y = 6_   15) 11 = 7y - 3 _y = 2_   16) y ÷ 6 = 4 _y = 24_

17) y ÷ 6 = 1 _y = 6_   18) 35 = y × 7 _y = 5_   19) 8 - y = 1 _y = 7_   20) 7 × y = 7 _y = 1_

21) 1y + 1 = 8 _y = 7_   22) 11 = 8 + 3y _y = 1_   23) 15 = 6y + 9 _y = 1_   24) 6 = y + 3 _y = 3_

25) 8 = 32 ÷ y _y = 4_   26) 17 = 4y + 5 _y = 3_   27) 9 × y = 36 _y = 4_   28) y ÷ 7 = 6 _y = 42_

29) 4y + 5 = 13 _y = 2_   30) 5 + y = 14 _y = 9_   31) y × 8 = 16 _y = 2_   32) 16 = y × 4 _y = 4_

33) y × 2 = 6 _y = 3_   34) y + 7 = 16 _y = 9_   35) y - 4 = 1 _y = 5_   36) 3 = 7 - 2y _y = 2_

37) 56 - 7y = 0 _y = 8_   38) 1 = y ÷ 5 _y = 5_   39) 2 = y + 1 _y = 1_   40) 12 = 9 + y _y = 3_

41) y × 8 = 24 _y = 3_   42) 6 = 12 ÷ y _y = 2_   43) 5 + 2y = 13 _y = 4_   44) 13 = y + 8 _y = 5_

45) 8 = 4 × y _y = 2_   46) 3 = y - 3 _y = 6_   47) y - 1 = 3 _y = 4_   48) 4 = 6 - y _y = 2_

49) 7y - 8 = 48 _y = 8_   50) y + 2 = 6 _y = 4_

UU) Solve for the variable.

1) $16 = y + 7$ $y = 9$ 2) $6 \times y = 36$ $y = 6$ 3) $8 = y + 3$ $y = 5$ 4) $12 = 3y + 6$ $y = 2$

5) $y \times 9 = 36$ $y = 4$ 6) $86 = 9y + 5$ $y = 9$ 7) $1 = 6 - y$ $y = 5$ 8) $8 = y \times 4$ $y = 2$

9) $1 + 5y = 36$ $y = 7$ 10) $6 = 2 \times y$ $y = 3$ 11) $y + 8 = 12$ $y = 4$ 12) $9 = y + 6$ $y = 3$

13) $6y - 2 = 52$ $y = 9$ 14) $6 = 15 - 3y$ $y = 3$ 15) $10 = y + 8$ $y = 2$ 16) $7 \times y = 28$ $y = 4$

17) $20 = 8y - 4$ $y = 3$ 18) $35 = 8y + 3$ $y = 4$ 19) $22 = 4y - 2$ $y = 6$ 20) $2 = 1 \times y$ $y = 2$

21) $0 = y - 9$ $y = 9$ 22) $7 = 56 \div y$ $y = 8$ 23) $2 \times y = 16$ $y = 8$ 24) $8 = 2 \times y$ $y = 4$

25) $8 - y = 4$ $y = 4$ 26) $3 = 8 - y$ $y = 5$ 27) $12 = 3y + 3$ $y = 3$ 28) $y \times 9 = 18$ $y = 2$

29) $5 = 35 - 5y$ $y = 6$ 30) $9 = 19 - 2y$ $y = 5$ 31) $76 = 8y + 4$ $y = 9$ 32) $11 = 4 + y$ $y = 7$

33) $9 = 1y + 2$ $y = 7$ 34) $5 = y + 4$ $y = 1$ 35) $6 = y \times 3$ $y = 2$ 36) $42 \div y = 6$ $y = 7$

37) $7 \times y = 35$ $y = 5$ 38) $21 - 7y = 0$ $y = 3$ 39) $y \div 1 = 4$ $y = 4$ 40) $3 + y = 10$ $y = 7$

41) $9 - y = 8$ $y = 1$ 42) $0 = 5 - y$ $y = 5$ 43) $5 = 1 \times y$ $y = 5$ 44) $1 + 3y = 25$ $y = 8$

45) $6 = 9 - y$ $y = 3$ 46) $y - 3 = 5$ $y = 8$ 47) $9y + 9 = 63$ $y = 6$ 48) $10 \div y = 5$ $y = 2$

49) $2 = 4 \div y$ $y = 2$ 50) $9 \times y = 9$ $y = 1$

VV) Solve for the variable.

1) 31 - 8y = 7 $y = 3$ 2) 14 = 5 + y $y = 9$ 3) y - 3 = 6 $y = 9$ 4) 3 = y - 3 $y = 6$

5) 11 = 6 + 5y $y = 1$ 6) 20 ÷ y = 4 $y = 5$ 7) 2 × y = 16 $y = 8$ 8) y × 9 = 45 $y = 5$

9) 16 = 4 × y $y = 4$ 10) y + 3 = 5 $y = 2$ 11) 7 = y - 2 $y = 9$ 12) 9 = 63 ÷ y $y = 7$

13) 3y - 9 = 3 $y = 4$ 14) y - 7 = 0 $y = 7$ 15) 1 = y ÷ 3 $y = 3$ 16) y - 2 = 2 $y = 4$

17) 9 × y = 54 $y = 6$ 18) 9 = 1y + 2 $y = 7$ 19) 8y + 1 = 17 $y = 2$ 20) 9 - y = 5 $y = 4$

21) 87 = 9y + 6 $y = 9$ 22) 48 = 7y - 1 $y = 7$ 23) 4 = y + 2 $y = 2$ 24) 3 + 1y = 11 $y = 8$

25) y + 2 = 5 $y = 3$ 26) 32 = 4 × y $y = 8$ 27) y + 5 = 6 $y = 1$ 28) 9y - 8 = 55 $y = 7$

29) y ÷ 7 = 8 $y = 56$ 30) 1 = 9 - y $y = 8$ 31) 1y - 1 = 0 $y = 1$ 32) 53 = 8y - 3 $y = 7$

33) 5 = y ÷ 3 $y = 15$ 34) y - 6 = 2 $y = 8$ 35) 0 = 3 - y $y = 3$ 36) 41 = 5y + 6 $y = 7$

37) 2 = 14 - 6y $y = 2$ 38) 8y + 4 = 52 $y = 6$ 39) y - 2 = 4 $y = 6$ 40) 6 - y = 2 $y = 4$

41) 28 = y × 7 $y = 4$ 42) 7 = 9 - y $y = 2$ 43) 5 = 6y - 7 $y = 2$ 44) 24 = 8 + 2y $y = 8$

45) 1 = 25 - 6y $y = 4$ 46) 2 + 7y = 44 $y = 6$ 47) y ÷ 7 = 6 $y = 42$ 48) y ÷ 8 = 2 $y = 16$

49) 4y - 3 = 13 $y = 4$ 50) 3 = y - 1 $y = 4$

WW) Solve for the variable.

1) y - 7 = 2 $\underline{y = 9}$ 2) 4y + 8 = 36 $\underline{y = 7}$ 3) 2 = 2 ÷ y $\underline{y = 1}$ 4) 5 = y ÷ 7 $\underline{y = 35}$

5) 5 = y - 2 $\underline{y = 7}$ 6) 14 = 9y - 4 $\underline{y = 2}$ 7) 8 - 2y = 2 $\underline{y = 3}$ 8) 35 - 7y = 0 $\underline{y = 5}$

9) 5 = 1y - 4 $\underline{y = 9}$ 10) 3 = 4 - y $\underline{y = 1}$ 11) y ÷ 3 = 7 $\underline{y = 21}$ 12) 1 = y - 6 $\underline{y = 7}$

13) 56 ÷ y = 7 $\underline{y = 8}$ 14) y × 8 = 64 $\underline{y = 8}$ 15) 8y - 2 = 54 $\underline{y = 7}$ 16) 12 = 7 + 5y $\underline{y = 1}$

17) y × 3 = 12 $\underline{y = 4}$ 18) y × 2 = 4 $\underline{y = 2}$ 19) y ÷ 8 = 6 $\underline{y = 48}$ 20) y + 6 = 9 $\underline{y = 3}$

21) 5 + y = 12 $\underline{y = 7}$ 22) 13 = 5 + y $\underline{y = 8}$ 23) 5 = 15 ÷ y $\underline{y = 3}$ 24) 7 - y = 3 $\underline{y = 4}$

25) 4 = y - 5 $\underline{y = 9}$ 26) 8 = y + 4 $\underline{y = 4}$ 27) y - 1 = 2 $\underline{y = 3}$ 28) 2y + 6 = 18 $\underline{y = 6}$

29) 19 - 6y = 7 $\underline{y = 2}$ 30) y - 2 = 4 $\underline{y = 6}$ 31) 63 ÷ y = 9 $\underline{y = 7}$ 32) 81 = 9 × y $\underline{y = 9}$

33) 1 × y = 1 $\underline{y = 1}$ 34) y + 3 = 6 $\underline{y = 3}$ 35) 30 = 4y - 2 $\underline{y = 8}$ 36) 17 = 8 + 9y $\underline{y = 1}$

37) 49 = 7 × y $\underline{y = 7}$ 38) y - 2 = 6 $\underline{y = 8}$ 39) 6 ÷ y = 1 $\underline{y = 6}$ 40) 10 = 1 + y $\underline{y = 9}$

41) y + 1 = 6 $\underline{y = 5}$ 42) 2 = 8 - y $\underline{y = 6}$ 43) 28 ÷ y = 7 $\underline{y = 4}$ 44) y ÷ 6 = 1 $\underline{y = 6}$

45) y + 2 = 5 $\underline{y = 3}$ 46) 8 = 72 ÷ y $\underline{y = 9}$ 47) 7 - 2y = 1 $\underline{y = 3}$ 48) 8 + y = 13 $\underline{y = 5}$

49) y - 1 = 4 $\underline{y = 5}$ 50) 9 = 9 × y $\underline{y = 1}$

XX) Solve for the variable.

1) $7 = 9 - y$ $\underline{y = 2}$
2) $5 = y + 2$ $\underline{y = 3}$
3) $15 = y + 7$ $\underline{y = 8}$
4) $44 = 8y - 4$ $\underline{y = 6}$

5) $3 = 9 - y$ $\underline{y = 6}$
6) $15 = 8 + y$ $\underline{y = 7}$
7) $2 = 58 - 7y$ $\underline{y = 8}$
8) $3 = 27 \div y$ $\underline{y = 9}$

9) $4 + y = 8$ $\underline{y = 4}$
10) $8 = 5 + y$ $\underline{y = 3}$
11) $12 = 4 \times y$ $\underline{y = 3}$
12) $5 = y \div 5$ $\underline{y = 25}$

13) $1 \div y = 1$ $\underline{y = 1}$
14) $1 = y \div 8$ $\underline{y = 8}$
15) $45 = y \times 5$ $\underline{y = 9}$
16) $5 + 6y = 29$ $\underline{y = 4}$

17) $5 + 1y = 11$ $\underline{y = 6}$
18) $28 - 8y = 4$ $\underline{y = 3}$
19) $5 = y + 4$ $\underline{y = 1}$
20) $y \div 5 = 8$ $\underline{y = 40}$

21) $4y + 2 = 38$ $\underline{y = 9}$
22) $68 = 8y - 4$ $\underline{y = 9}$
23) $8y - 9 = 63$ $\underline{y = 9}$
24) $2 + 1y = 4$ $\underline{y = 2}$

25) $5 + y = 7$ $\underline{y = 2}$
26) $10 = 6 + y$ $\underline{y = 4}$
27) $8 + 6y = 62$ $\underline{y = 9}$
28) $5y - 4 = 6$ $\underline{y = 2}$

29) $5 = y \times 5$ $\underline{y = 1}$
30) $4 = 13 - 9y$ $\underline{y = 1}$
31) $2 \div y = 1$ $\underline{y = 2}$
32) $9 = 36 \div y$ $\underline{y = 4}$

33) $27 = 6y - 3$ $\underline{y = 5}$
34) $7 = 43 - 6y$ $\underline{y = 6}$
35) $6y + 7 = 43$ $\underline{y = 6}$
36) $1 = 49 - 6y$ $\underline{y = 8}$

37) $8 \times y = 32$ $\underline{y = 4}$
38) $5 - y = 1$ $\underline{y = 4}$
39) $3 = y - 6$ $\underline{y = 9}$
40) $y + 3 = 7$ $\underline{y = 4}$

41) $20 = 7y - 1$ $\underline{y = 3}$
42) $3 - y = 0$ $\underline{y = 3}$
43) $8 = y - 1$ $\underline{y = 9}$
44) $y \times 4 = 28$ $\underline{y = 7}$

45) $2 = 66 - 8y$ $\underline{y = 8}$
46) $1 \times y = 6$ $\underline{y = 6}$
47) $7 = y \times 7$ $\underline{y = 1}$
48) $7 = 1 \times y$ $\underline{y = 7}$

49) $2y - 6 = 0$ $\underline{y = 3}$
50) $11 = 3 + 4y$ $\underline{y = 2}$

Made in the USA
Coppell, TX
14 July 2023

19168919R00060